검정고시 입시 고수들의
만점 전략 수험서

검고수

수학

만점전략서

고등학교 졸업자격 검정고시

최신 개정판

한양학원 수험서 ― 편집부 저

도서출판 국자감
www.kukjagam.co.kr

CONTENTS

검정고시 만점 전략

검정고시 수학은 총 20문제로 한 문제당 배점이 5점입니다. 이는 다른 과목이 25문제가 출제되어 한 문제당 4점인 것과 비교해 보면 수학은 한 문제 한 문제가 더 중요하다고 할 수 있습니다. 계산상의 실수가 자주 일어나는 과목의 특성과 실수를 하면 다른 과목에 비해 떨어지는 배점도 크기 때문에 한 문제 한 문제 단원별로 나오는 모든 문제들을 잘 정리하고 훈련할 필요가 있습니다.

수학은 다항식, 방정식과 부등식, 도형의 방정식, 집합과 명제, 함수, 경우의 수로 총 6단원으로 크게 나눕니다. 어느 단원이 중요하다 할 수 없을 정도로 전 단원에 걸쳐 두루두루 출제 되고 있는 경향을 보입니다.

〈다항식〉에서는 다항식의 덧셈, 뺄셈, 곱셈과 같은 기본 연산과 다항식의 나눗셈과 관련된 나머지 정리 및 항등식 문제가 빠지지 않고 출제됩니다.

〈방정식과 부등식〉에서는 복소수의 계산, 이차방정식의 근과 계수, 이차함수의 최대, 최소, 이차부등식 풀이 및 연립방정식 등에서 한 문제씩 골고루 출제되고 있습니다.

〈도형의 방정식〉에서는 점과 좌표, 직선의 방정식, 원의 방정식, 도형의 이동에서 기본적인 공식 및 기본 내용에 대한 것이 출제되고 있습니다.

〈집합과 명제〉에서는 집합과 집합사이의 연산이 주로 출제되고 있고, 명제의 역, 대우를 구하는 것도 매년 출제되는 유형입니다.

〈함수〉에서는 함수의 기본 정의와 함숫값을 구하는 문제, 합성함수와 역함수, 유리함수와 무리함수 문제가 출제되고 있습니다.

〈경우의 수〉는 이번 교육과정에 추가된 단원으로 문제가 2017~2020년 기출 문제에서는 볼 수 없습니다. 경우의 수를 구하는 가장 기본적인 합법칙, 곱법칙에서 출제될 것으로 예상됩니다.

이상으로 기출문제가 출제되고 있는 경향을 살펴보았습니다. 수학은 반복적으로 출제되는 문제가 많기 때문에 지난 모든 기출 문제와 여러 문제를 반복적으로 풀어야 합니다. 본 교재와 함께 단원별로 꼭 필요한 공식들을 정리 / 암기하고, 교재에 나오는 모든 문제를 반복적으로 훈련하기를 바랍니다.

01. 다항식

유형 01 다항식의 덧셈과 뺄셈

(1) 덧셈 : 괄호를 풀고 동류항끼리 계산한다.

예 $(ax + b) + (cx + d) = (a + c)x + (b + d)$

$(ax^2 + bx + c) + (dx^2 + ex + f) = (a + d)x^2 + (b + e)x + (c + f)$

(2) 뺄셈 : 괄호를 풀고 동류항끼리 계산한다.

예 $(ax + b) - (cx + d) = (a - c)x + (b - d)$

$(ax^2 + bx + c) - (dx^2 + ex + f) = (a - d)x^2 + (b - e)x + (c - f)$

(3) 두 다항식 A, B가 주어졌을 때, 다음과 같은 방법으로 구하는 식을 간단히 한다.

1) 두 다항식 A, B를 구하는 식에 대입한다.

2) 괄호가 있으면 괄호를 풀고, 동류항끼리 모아서 간단히 한다.

기본문제 1-1 다음을 계산하여라.

(1) $(2x + 3y) + (4x + y)$

(2) $(-5x + 2) + (-3x + 1)$

(3) $(3x^2 + 5) + (4x^2 + 2)$

(4) $2(2x + 1) + (-5x + 3)$

정답 (1) $6x + 4y$ (2) $-8x + 3$
(3) $7x^2 + 7$ (4) $-x + 5$

기본문제 1-2 다음을 계산하여라.

(1) $(2x + 3y) - (4x + y)$

(2) $(-5x + 2) - (-3x + 1)$

(3) $(3x^2 + 5) - (4x^2 + 2)$

(4) $2(x^2 + 2x + 1) - (2x^2 - 5x + 3)$

정답   (1) $-2x + 2y$ (2) $-2x + 1$
(3) $-x^2 + 3$ (4) $9x - 1$

기본문제 1-3 다음 다항식에 대하여 물음에 답하여라.

$A = x^2 + 4x + 1$

$B = 3x^2 - 2x + 3$

$C = x^2 + x + 1$

(1) $A + B$를 구하여라.

(2) $A - B$를 구하여라.

(3) $B + C$를 구하여라.

(4) $2B + 3C$를 구하여라.

정답   (1) $4x^2 + 2x + 4$
(2) $-2x^2 + 6x - 2$
(3) $4x^2 - x + 4$
(4) $9x^2 - x + 9$

다항식의 곱셈

(1) 지수법칙과 분배법칙을 이용하여 전개한 다음 동류항끼리 모아서 간단히 한다.

(2) 전개공식(곱셈공식)

① $(x + a)(x + b) = x^2 + (a + b)x + ab$

② $(ax + b)(cx + d) = acx^2 + (ad + bc)x + bd$

③ $(a + b)(a - b) = a^2 - b^2$

④ $(a + b)^2 = a^2 + 2ab + b^2$

⑤ $(a - b)^2 = a^2 - 2ab + b^2$

기본문제 2-1 다음을 계산하여라.

(1) $(x + 3)(x + 4)$

(2) $(x + 5)(x + 2)$

(3) $(x - 4)(x - 6)$

(4) $(x + 5)(x - 3)$

정답
(1) $x^2 + 7x + 12$ (2) $x^2 + 7x + 10$
(3) $x^2 - 10x + 24$ (4) $x^2 + 2x - 15$

기본문제 2-2 다음을 계산하여라.

(1) $(2x + 3)(4x + 1)$

(2) $(5x + 2)(3x + 1)$

(3) $(2x - 1)(3x - 2)$

(4) $(3x + 2)(2x - 5)$

정답
(1) $8x^2 + 14x + 3$ (2) $15x^2 + 11x + 2$
(3) $6x^2 - 7x + 2$ (4) $6x^2 - 11x - 10$

기본문제 2-3 다음을 계산하여라.

(1) $(x + 3)(x - 3)$

(2) $(x + 2)(x - 2)$

(3) $(3x + 2)(3x - 2)$

(4) $(2x + 4)(2x - 4)$

정답 (1) $x^2 - 9$　　(2) $x^2 - 4$
(3) $9x^2 - 4$　　(4) $4x^2 - 16$

기본문제 2-4 다음을 계산하여라.

(1) $(x + 2)^2$

(2) $(x + 3)^2$

(3) $(x + 4)^2$

(4) $(x + 5)^2$

정답 (1) $x^2 + 4x + 4$　　(2) $x^2 + 6x + 9$
(3) $x^2 + 8x + 16$　　(4) $x^2 + 10x + 25$

기본문제 2-5 다음을 계산하여라.

(1) $(x - 1)^2$

(2) $(x - 2)^2$

(3) $(x - 3)^2$

(4) $(x - 7)^2$

정답 (1) $x^2 - 2x + 1$　　(2) $x^2 - 4x + 4$
(3) $x^2 - 6x + 9$　　(4) $x^2 - 14x + 49$

(1) 항등식 : 미지수의 값에 상관없이 항상 성립하는 등식

　　　　어떠한 수를 대입하여도 등호가 항상 성립하는 식

(2) 항등식의 성질

　① 계수비교법 : 항등식의 성질을 이용하여 좌변과 우변을 비교

　　· $ax + b = a'x + b'$ 이 x에 대한 항등식

　　　$\Leftrightarrow a = a',\ b = b'$

　　· $ax^2 + bx + c = a'x^2 + b'x + c'$ 이 x에 대한 항등식

　　　$\Leftrightarrow a = a',\ b = b',\ c = c'$

　② 수치대입법 : 항등식의 정의를 이용하여 적당한 수를 양변에 대입

기본문제 3-1　다음 중 x에 대한 항등식인 것에는 ○표, 아닌 것에는 ×표를 하여라.

(1) $2x + 3 = 2x + 3$　　　　(　　)

(2) $(x + 1)(x - 1) = x^2 - 1$　(　　)

(3) $2x - 6 = 0$　　　　　　(　　)

(4) $(x + 3)^2 = x^2 - 6x + 9$　(　　)

정답　(1) ○　(2) ○　(3) ×　(4) ×

기본문제 3-2 다음 등식이 x에 대한 항등식일 때, 상수 a, b의 값을 구하여라.

(1) $4x + 1 = ax + b$

(2) $-3x + 1 = ax + b$

(3) $(x + 2)(x + 3) = x^2 + ax + b$

(4) $(2x + 1)(x + 2) = 2x^2 + ax + b$

정답 (1) $a = 4, b = 1$ (2) $a = -3, b = 1$
(3) $a = 5, b = 6$ (4) $a = 5, b = 2$

기본문제 3-3 다음 등식이 x에 대한 항등식일 때, 상수 R의 값을 구하여라.

(1) $x^2 + 3x + 4 = (x - 1)Q(x) + R$

(2) $x^2 + 4x + 5 = (x - 2)Q(x) + R$

(3) $x^2 + 3x - 1 = (x + 1)Q(x) + R$

(4) $2x^2 - 2x + 1 = (x + 2)Q(x) + R$

정답 (1) 8 (2) 17
(3) -3 (4) 13

기본문제 3-4 다음 등식이 x에 대한 항등식일 때, 상수 a의 값을 구하여라.

$x^2 + 4x + 6 = (x + 1)^2 + 2(x + 1) + a$

정답 3

나머지 정리

x에 관한 다항식 $f(x)$를 $(x - \alpha)$로 나눈 나머지는 $f(\alpha)$이다.

즉, 부호반대 수를 대입

예 $f(x) = x^2 + 2x + 3$을 $x - 1$로 나누었을 때의 나머지는

$f(1) = 1^2 + 2 \times 1 + 3 = 6$이다.

기본문제 4-1 다음 각 다항식을 $x - 1$로 나눈 나머지를 구하시오.

(1) $x^2 + 3x + 2$

(2) $x^2 - 4x + 2$

(3) $2x^2 + 4x - 1$

(4) $x^3 + 2x^2 - 4x + 1$

정답   (1) 6   (2) -1
       (3) 5   (4) 0

기본문제 4-2 다항식 $x^2 - 4x + 5$를 $x - 2$로 나눈 나머지를 구하여라.

정답   1

기본문제 4-3   다항식 $x^2 - 2x + 3$ 를 $x + 1$로 나눈 나머지를 구하여라.

|정답| 6

기본문제 4-4   다항식 $x^2 + 5x + k$ 를 $x - 1$로 나눈 나머지가 8일 때, k의 값을 구하여라.

|정답| 2

기본문제 4-5   다항식 $x^2 + 3x + k$ 가 $x - 1$로 나누어떨어질 때, k의 값을 구하여라.

|정답| -4

유형 05   조립제법

다항식 $f(x)$을 $x - \alpha$꼴의 일차식으로 나눌 때, 계수만을 사용하여 몫과 나머지를 구하는 방법

예 $2x^2 + 3x + 5$를 $x - 2$로 나눈 몫과 나머지를 조립제법을 이용하여 구하시오.

[조립제법]

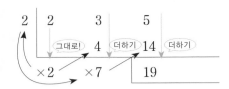

$\therefore$ 몫 : $2x + 7$, 나머지 : 19

기본문제 5-1   다음 나눗셈의 몫과 나머지를 조립제법을 이용하여 구하여라.

(1) $(x^2 + 3x + 5) \div (x - 1)$

(2) $(x^2 + 4x - 5) \div (x - 2)$

(3) $(x^3 + 4x^2 - 5x + 3) \div (x - 2)$

(4) $(x^3 - 2x^2 + 3x + 2) \div (x - 1)$

정답

(1)

1	1	3	5
		1	4
	1	4	9

몫 : $x + 4$, 나머지 : 9

(2)

2	1	4	-5
		2	12
	1	6	7

몫 : $x + 6$, 나머지 : 7

(3)

2	1	4	-5	3
		2	12	14
	1	6	7	17

몫 : $x^2 + 6x + 7$
나머지 : 17

(4)

1	1	-2	3	2
		1	-1	2
	1	-1	2	4

몫 : $x^2 - x + 2$
나머지 : 4

기본문제 5-2   다항식 $2x^2 + 3x + 1$을 $x - 2$로 나눈 나머지를 구하여라.

정답 :   15

$$
\begin{array}{r|rrr}
2 & 2 & 3 & 1 \\
  &   & 4 & 14 \\
\hline
  & 2 & 7 & 15 \\
\end{array}
$$

유형 06   인수분해

(1) 인수분해 : 하나의 다항식을 2개 이상의 다항식의 곱의 꼴로 나타내는 것을 인수분해라고 한다.

(2) 인수분해 공식

    ① $ma + mb = m(a + b) \Rightarrow$ 공통인수

    ② $a^2 - b^2 = (a + b)(a - b) \Rightarrow$ 제곱 − 제곱

    ③ $a^2 + 2ab + b^2 = (a + b)^2$, $a^2 - 2ab + b^2 = (a - b)^2 \Rightarrow$ 완전제곱식

    ④ $x^2 + (a + b)x + ab = (x + a)(x + b) \Rightarrow$ 합, 곱

기본문제 6-1 다음을 인수분해 하시오.

(1) $x^2 + 4x$

(2) $x^2 + 3x$

(3) $x^2 - 4x$

(4) $x^2 - 9x$

정답 (1) $x(x + 4)$ (2) $x(x + 3)$
       (3) $x(x - 4)$ (4) $x(x - 9)$

기본문제 6-2 다음을 인수분해 하시오.

(1) $x^2 - 4$

(2) $x^2 - 9$

(3) $x^2 - 1$

(4) $x^2 - 25$

정답 (1) $(x - 2)(x + 2)$ (2) $(x - 3)(x + 3)$
       (3) $(x - 1)(x + 1)$ (4) $(x - 5)(x + 5)$

기본문제 6-3   다음을 인수분해 하시오.

(1) $x^2 + 6x + 8$

(2) $x^2 + 8x + 12$

(3) $x^2 - 8x + 15$

(4) $x^2 + 3x - 10$

[정답]   (1) $(x + 2)(x + 4)$ (2) $(x + 2)(x + 6)$
         (3) $(x - 3)(x - 5)$ (4) $(x - 2)(x + 5)$

기본문제 6-4   다음을 인수분해 하시오.

(1) $x^2 + 6x + 9$

(2) $x^2 + 4x + 4$

(3) $x^2 - 10x + 25$

(4) $x^2 - 2x + 1$

[정답]   (1) $(x + 3)^2$ (2) $(x + 2)^2$
         (3) $(x - 5)^2$ (4) $(x - 1)^2$

1. 다항식

1. 두 다항식 $A = 2a + 4b + 2$, $B = a - 7b + 1$일 때, $A + B$를 계산하면?

① $3a + 10b - 8$ ② $7a - 4b - 6$

③ $3a - 3b + 3$ ④ $3a - 4b - 6$

2. 두 다항식 $A = 2x + 3$, $B = 5x - 7$일 때, $A - B$를 계산하면?

① $3x - 4$ ② $-7x + 10$

③ $7x - 1$ ④ $-3x + 10$

3. 두 다항식 $A = 4x^2 - 2x$, $B = 3x^2 + 2x$에 대하여 $A + B$는?

① $7x^2$ ② $x^2 + 4x$

③ $7x^2 - 4x$ ④ x^2

4. 두 다항식 $(3x + 5y) + (2x - 2y) = ax + by$일 때, $a + b$를 계산하면?

① 5 ② 6

③ 7 ④ 8

5. $(6x + 3y) - (4x - 4y) = mx + ny$일 때, 두 정수 m, n에 대하여 mn의 값은?

① 14 ② 9

③ 1 ④ -2

6. $(2x + y) + (x - 5y) = mx + ny$ 일 때, $m + n$의 값은?

① 1   ② 2

③ -1 ④ -2

7. $A = 2x + 4$, $B = 3x + 1$에 대하여 $A + 2B$는?

① $5x + 5$ ② $7x + 9$

③ $8x + 6$ ④ $3x + 9$

8. $A = 3x - 2$, $B = x + 3$일 때, $2A + B$를 계산하면?

① $4x + 1$ ② $7x + 9$

③ $8x + 6$ ④ $7x - 1$

9. 두 다항식 $A = 2x^2 + 3x$, $B = x^2 + 2x$에 대하여 $2A + 3B$는?

① $7x^2 + 4x$ ② $3x^2 + 5x$

③ $7x^2 + 12x$ ④ $x^2 + 3x$

10. 다항식 $(4x + 1)(3x + 2)$를 바르게 전개한 것은?

① $12x^2 + 11x + 2$ ② $12x^2 - 11x + 2$

③ $7x^2 + 4x + 2$ ④ $6x^2 - 4x + 10$

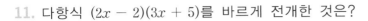

11. 다항식 $(2x - 2)(3x + 5)$를 바르게 전개한 것은?

① $x^2 + x - 2$ ② $6x^2 + 4x + 10$

③ $6x^2 + 4x - 10$ ④ $6x^2 - 4x + 10$

12. 다항식 $(x - 5)(x + 5)$를 바르게 전개한 것은?

① $x^2 + 10x - 25$ ② $x^2 - 10x + 25$

③ $x^2 + 25$ ④ $x^2 - 25$

13. 두 다항식 $A = 4x - 5$, $B = 3x - 2$일 때, AB의 값은?

① $12x^2 + 10$ ② $7x^2 + 7x + 10$

③ $7x + 7$ ④ $12x^2 - 23x + 10$

14. 두 다항식 $A = 3x + 2$, $B = 2x - 5$일 때, AB의 값은?

① $6x^2 + 2x - 10$ ② $2x^2 - 7x - 15$

③ $3x^2 - 5x - 13$ ④ $6x^2 - 11x - 10$

15. $(x - 4)^2$을 전개하면?

① $x^2 - 8x - 16$ ② $x^2 - 8x + 16$

③ $x^2 + 8x + 16$ ④ $x^2 - 16$

16. $(a-6)^2$을 전개하면?

　① $a^2 - 6a - 12$　　　　　② $a^2 - 12a + 36$
　③ $a^2 + 12a + 36$　　　　　④ $a^2 - 36$

17. $\begin{cases} x + y = 5 \\ xy = 6 \end{cases}$ 을 만족하는 x, y에 대하여 $x^2 + y^2$의 값은?

　① 0　　　　　　　　　② 13
　③ 12　　　　　　　　④ 3

18. $\begin{cases} x + y = 3 \\ xy = 4 \end{cases}$ 를 만족하는 x, y에 대하여 $x^2 + y^2$의 값은?

　① 0　　　　　　　　　② 1
　③ 12　　　　　　　　④ 3

19. $\begin{cases} x + y = 6 \\ xy = 3 \end{cases}$ 을 만족하는 x, y에 대하여 $\dfrac{1}{x} + \dfrac{1}{y}$의 값은?

　① 4　　　　　　　　　② 3
　③ 2　　　　　　　　④ 5

20. $\begin{cases} x + y = 8 \\ xy = 2 \end{cases}$ 를 만족하는 x, y에 대하여 $\dfrac{1}{x} + \dfrac{1}{y}$의 값은?

　① 4　　　　　　　　　② 3
　③ 12　　　　　　　　④ 5

2. 항등식과 나머지 정리

1. 다음 중 x에 대한 항등식은?

① $x + 1 = 0$　　　　　　　② $x - 2 > 0$

③ $x + 4 = x + 3$　　　　　④ $x(x - 2) = x^2 - 2x$

2. 다음 중 x에 대한 항등식은?

① $x - 2 = x + 2$　　　　　② $x = 3$

③ $x^2 - 1 = (x - 1)(x + 1)$　　④ $x^2 - 1 = x - 1$

3. $ax + b = 2x + 3$이 x에 관한 항등식일 때, $a + b$의 값은?

① 1　　　　　　　　② 4

③ -1　　　　　　　④ 5

4. $(a + 1)x + (b - 2) = 0$이 x에 관한 항등식일 때, $a + b$의 값은?

① 1　　　　　　　　② 4

③ -1　　　　　　　④ 5

5. 등식 $2x^2 - 3x + 5 = ax^2 + bx + c$가 x에 관한 항등식일 때, 상수 a, b, c에 대하여 $a + b + c$의 값은?

① 2　　　　　　　　② 4

③ 6　　　　　　　　④ 8

6. 등식 $(x + 2)(x + 4) = x^2 + 6x + a$가 x에 대한 항등식일 때, 상수 a의 값을 구하면?

① 5   ② 6

③ 7   ④ 8

7. 등식 $(2x + 3)(x + 1) = ax^2 + bx + c$가 x에 대한 항등식일 때, 상수 $a + b + c$의 값을 구하면?

① 25   ② 26

③ 10   ④ 9

8. $x^2 + 4x - 2 = (x - 1)Q(x) + R$이 x에 관한 항등식일 때, 상수 R의 값은?

① 1   ② 3

③ -1 ④ 5

9. $x^2 + 3x + 4 = (x + 2)Q(x) + R$이 x에 관한 항등식일 때, 상수 R의 값은?

① 1   ② 3

③ 2   ④ 5

10. 등식 $(x - 3)^2 = (x - 1)^2 - 4(x - 1) + a$가 x에 대한 항등식일 때, 상수 a의 값을 구하면?

① 4   ② 6

③ 8   ④ 10

11. 등식 $(x+2)^2 = (x+1)^2 + 2(x+1) + a$가 x에 대한 항등식일 때, 상수 a의 값을 구하면?

① 3   ② 2

③ 1   ④ 0

12. 다항식 $x^2 + 3x - 2$를 $x - 1$로 나눈 나머지는?

① 1   ② 2

③ 3   ④ 4

13. 다항식 $x^2 + 2x - 3$을 $x - 2$로 나눈 나머지는?

① 5   ② 6

③ 8   ④ 9

14. 다항식 $x^3 - 3x^2 - 5$를 $x + 1$로 나눈 나머지는?

① 1   ② -1

③ 9   ④ -9

15. 다항식 $x^2 - 2x + k$를 $x - 1$로 나눈 나머지가 3일 때 k의 값은?

① 2   ② 3

③ 4   ④ 5

16. 다항식 $x^2 + 3x + k$가 $x - 1$로 나누어 떨어질 때, k의 값은?

① -1 ② -2

③ -3 ④ -4

17. 다항식 $x^2 + 2x + k$가 $x - 2$로 나누어 떨어질 때, k의 값은?

① 8 ② -8

③ 0 ④ 4

18. 다항식 $x^2 + 2x + k$가 $x + 2$로 나누어 떨어질 때, k의 값은?

① 1 ② 0

③ -1 ④ -2

19. 다음 그림은 조립제법을 이용하여 $x^2 + 3x + 4$를 $x - 1$로 나눈 몫과 나머지를 구하는 과정이다. 이 때, 몫과 나머지는?

1	1	3	4
		1	4
	1	4	8

① 몫 : $x + 4$, 나머지 : 8
② 몫 : $x + 8$, 나머지 : 4
③ 몫 : $x + 4$, 나머지 : 4
④ 몫 : $x + 1$, 나머지 : 8

20. 다음 그림은 조립제법을 이용하여 $2x^2 + 4x - 3$을 $x - 2$로 나눈 몫과 나머지를 구하는 과정이다. $a + b$의 값은?

2	2	4	-3
		4	16
	a	b	13

① 8
② 9
③ 10
④ 11

3. 인수분해

1. 다음 중 $x^2 - 5x$의 인수분해로 옳은 것은?

   ① $x(x + 5)$ ② $x(x - 5)$

   ③ $(x - 5)(x + 5)$ ④ $(x - 1)(x + 5)$

2. 다음 중 $x^2 + 9x$의 인수분해로 옳은 것은?

   ① $x(x + 9)$ ② $x(x - 9)$

   ③ $(x - 3)(x + 3)$ ④ $(x + 1)(x + 9)$

3. 다음 중 $x^2 - x$의 인수분해로 옳은 것은?

   ① $x(x - 1)$ ② $(x - 1)(x + 1)$

   ③ $(x + 1)(x + 2)$ ④ $x(x + 1)$

4. 다음 중 $x^2 - 16$의 인수분해로 옳은 것은?

   ① $x(x - 16)$ ② $x(x - 4)$

   ③ $(x - 4)(x + 4)$ ④ $(x - 2)(x - 8)$

5. 다음 중 $x^2 - 4$의 인수분해로 옳은 것은?

   ① $x(x - 4)$ ② $x(x - 2)$

   ③ $(x - 4)(x + 1)$ ④ $(x - 2)(x + 2)$

6. 다음 중 $x^2 - 25$의 인수분해로 옳은 것은?

   ① $(x - 5)(x + 10)$ ② $(x - 10)(x + 15)$

   ③ $(x + 5)(x - 5)$ ④ $(x - 1)(x - 25)$

7. 다음 중 $x^2 + 8x + 12$의 인수분해로 옳은 것은?

   ① $x(x - 6)$ ② $(x - 3)(x - 4)$

   ③ $(x + 2)(x + 6)$ ④ $(x - 2)(x - 6)$

8. 다음 중 $x^2 - 10x + 24$의 인수분해로 옳은 것은?

   ① $(x - 4)(x - 6)$ ② $(x - 3)(x - 8)$

   ③ $(x + 2)(x + 10)$ ④ $(x - 2)(x - 12)$

9. 다음 중 $x^2 + 6x + 5$의 인수분해로 옳은 것은?

   ① $(x - 1)(x - 5)$ ② $(x + 2)(x + 3)$

   ③ $(x + 5)(x + 1)$ ④ $(x - 2)(x - 3)$

10. 다음 중 $x^2 - 5x + 6$의 인수분해로 옳은 것은?

   ① $(x - 1)(x - 5)$ ② $(x + 2)(x + 3)$

   ③ $(x + 5)(x + 1)$ ④ $(x - 2)(x - 3)$

11. 다음 중 $x^2 + 7x + 12$의 인수분해로 옳은 것은?

   ① $(x-1)(x-7)$ ② $(x+3)(x+4)$

   ③ $(x+2)(x+6)$ ④ $(x-2)(x-6)$

12. 다음 중 $x^2 - 4x + 3$의 인수분해로 옳은 것은?

   ① $(x-1)(x-3)$ ② $(x+1)(x+3)$

   ③ $(x+4)(x+1)$ ④ $(x-2)(x-2)$

13. 다음 중 $x^2 - 4x - 12$의 인수분해로 옳은 것은?

   ① $(x-6)(x-2)$ ② $(x+4)(x+3)$

   ③ $(x-6)(x+2)$ ④ $(x+6)(x-2)$

14. 다음 중 $x^2 - x - 6$의 인수분해로 옳은 것은?

   ① $(x-3)(x-2)$ ② $(x+4)(x+3)$

   ③ $(x-3)(x+2)$ ④ $(x+6)(x-1)$

15. 다음 중 $x^2 + 5x - 14$의 인수분해로 옳은 것은?

   ① $(x-9)(x-5)$ ② $(x+2)(x+7)$

   ③ $(x-7)(x+2)$ ④ $(x-2)(x+7)$

16. 다음 중 $x^2 - 5x - 6$의 인수분해로 옳은 것은?

① $(x - 6)(x + 1)$ ② $(x - 2)(x + 3)$

③ $(x - 6)(x - 1)$ ④ $(x + 6)(x - 1)$

17. 다음 중 $x^2 - 6x + 9$의 인수분해로 옳은 것은?

① $(x - 6)(x + 3)$ ② $(x - 3)^2$

③ $(x - 3)(x + 3)$ ④ $(x + 9)(x - 1)$

18. 다음 중 $x^2 + 10x + 25$의 인수분해로 옳은 것은?

① $(x + 5)^2$ ② $(x - 5)^2$

③ $(x - 2)(x - 5)$ ④ $(x + 5)(x - 5)$

19. 다음 〈보기〉에서 인수분해가 옳은 것을 모두 고른 것은?

───── 〈보기〉 ─────

ㄱ. $x^2 - 9 = (x + 3)(x - 3)$

ㄴ. $x^2 - 6x = x(x - 6)$

ㄷ. $x^2 - 8x + 15 = (x + 3)(x + 5)$

ㄹ. $x^2 - 2x - 3 = (x - 1)(x + 3)$

① ㄱ, ㄷ   ② ㄴ, ㄹ   ③ ㄱ, ㄴ   ④ ㄴ, ㄷ

20. 다음 〈보기〉에서 인수분해가 옳은 것을 모두 고른 것은?

───── 〈보기〉 ─────

ㄱ. $x^2 + 5x + 6 = (x + 2)(x + 3)$

ㄴ. $x^2 + 6x + 9 = (x - 3)^2$

ㄷ. $x^2 - 4x = (x + 2)(x - 2)$

ㄹ. $x^2 - x - 6 = (x + 2)(x - 3)$

① ㄱ, ㄹ   ② ㄴ, ㄹ   ③ ㄱ, ㄴ   ④ ㄴ, ㄷ

02

02. 방정식과 부등식

02 방정식과 부등식

유형 01   복소수

(1) 허수단위 : 제곱하여 -1이 되는 수를 i로 나타내고 $i^2 = -1$인 수 i를 허수단위라 한다.

   즉, $i = \sqrt{-1}$ 이다.

(2) 복소수 : $a + bi$ (단, a, b는 실수)로 나타낼 수 있는 수

   이 때, a는 실수부분, b는 허수부분

(3) 켤레복소수 : 주어진 복소수의 허수부분의 부호를 바꾼 수가 켤레복소수이다.

   ① 복소수 $z = a + bi(a$, b는 실수)에 대하여 z의 켤레복소수는

   → $\overline{z} = a - bi$ ($\overline{a + bi}$ 로도 나타낸다.)

(4) 두 복소수가 서로 같다. : 실수부분끼리 같고, 허수부분끼리 같다.

   a, b, c, d가 실수일 때

   ① $a + bi = c + di \Leftrightarrow a = c$, $b = d$

   ② $a + bi = 0 \Leftrightarrow a = 0$, $b = 0$

기본문제 1-1   다음 복소수의 실수부분과 허수부분을 각각 구하여라.

(1) $3 + 4i$

(2) $-4 + 5i$

(3) $5 - 2i$

(4) $6i$

정답   (1) 실수부분 : 3, 허수부분 : 4   (2) 실수부분 : -4, 허수부분 : 5

(3) 실수부분 : 5, 허수부분 : -2 (4) 실수부분 : 0, 허수부분 : 6

기본문제 1-2   다음을 구하여라.

(1) $2 + 3i$의 켤레복소수는?

(2) $-1 + 2i$의 켤레복소수는?

(3) $\overline{6 + i}$ 와 같은 복소수는?

(4) $\overline{3 - 4i}$ 와 같은 복소수는?

정답   (1) $2 - 3i$ (2) $-1 - 2i$
   (3) $6 - i$ (4) $3 + 4i$

기본문제 1-3   다음 등식을 만족하는 실수 $a,\ b$의 값을 구하여라.

(1) $a + bi = 5 + 4i$

(2) $(a + 4) + (b - 2)i = 6 + 3i$

(3) $(a - 1) + (b + 3)i = 0$

(4) $(a + 2) + (b - 4)i = 0$

정답   (1) $a = 5, b = 4$ (2) $a = 2, b = 5$
   (3) $a = 1, b = -3$ (4) $a = -2, b = 4$

복소수 계산

(1) 덧셈, 뺄셈 : 끼리끼리 계산

    ① $(a + bi) + (c + di) = (a + c) + (b + d)i$

    ② $(a + bi) - (c + di) = (a - c) + (b - d)i$

(2) 곱셈 : 전개한다 $(i^2 = -1)$

    ① $ai(b + ci) = abi + aci^2$

               $= abi - ac$

               $= -ac + abi$

    ② $(a + bi)(c + di) = ac + adi + bci + bdi^2$

                     $= ac + adi + bci - bd$

                     $= (ac - bd) + (ad + bc)i$

기본문제 2-1   다음을 계산하여라.

    (1) $(2 + 3i) + (1 - 4i)$

    (2) $(-1 + 2i) + (3 + i)$

    (3) $(2 + 4i) + (2 - 3i)$

    (4) $(2 + i) + (2 - i)$

정답   (1) $3 - i$ (2) $2 + 3i$

           (3) $4 + i$ (4) 4

기본문제 2-2   다음을 계산하여라.

(1) $(5 + 6i) - (2 + 4i)$

(2) $(-1 + 2i) - (3 + 4i)$

(3) $(2 + 4i) - (2 - 3i)$

(4) $(2 - 4i) - (-1 - 2i)$

정답   (1) $3 + 2i$ (2) $-4 - 2i$
(3) $7i$ (4) $3 - 2i$

기본문제 2-3   다음을 계산하여라.

(1) $3i(1 + 2i)$

(2) $2i(3 + i)$

(3) $4i(2 - 3i)$

(4) $-2i(2 - i)$

정답   (1) $-6 + 3i$ (2) $-2 + 6i$
(3) $12 + 8i$ (4) $-2 - 4i$

기본문제 2-4 다음을 계산하여라.

(1) $(2 + 3i)(1 + 4i)$

(2) $(1 + 2i)(3 + i)$

(3) $(2 + 4i)(2 - 3i)$

(4) $(3 + 2i)(3 - 2i)$

정답 (1) $-10 + 11i$ (2) $1 + 7i$
(3) $16 + 2i$ (4) 13

기본문제 2-5 다음 두 복소수 $x = 5 + 3i, y = 1 + 2i$일 때, 다음을 계산하여라.

(1) $x + y$

(2) $x - y$

(3) $2x + 3y$

(4) xy

정답 (1) $6 + 5i$ (2) $4 + i$
(3) $13 + 12i$ (4) $-1 + 13i$

유형 03 이차방정식의 두 근과 중근

(1) 이차방정식 $ax^2 + bx + c = 0$의 풀이

　　인수분해 후 두 근을 구한다.

　　예 $x^2 + 6x + 8 = 0$

　　　$(x + 2)(x + 4) = 0$

　　　답 : $x = -2$ 또는 $x = -4$

(2) 중근 : 이차방정식이 중근을 갖기 위한 조건 $b^2 - 4ac = 0$ 또는 완전제곱식

　　예 중근을 갖는 이차방정식　　$x^2 \pm 2x + 1 = 0$

　　　　　　　　　　　　　　　$x^2 \pm 4x + 4 = 0$

　　　　　　　　　　　　　　　$x^2 \pm 6x + 9 = 0$

　　　　　　　　　　　　　　　　　$\vdots$

기본문제 3-1　　다음 이차방정식의 근을 구하여라.

(1) $x^2 + 5x + 6 = 0$

(2) $x^2 - 7x + 10 = 0$

(3) $x^2 - 4x = 0$

(4) $x^2 + 6x + 9 = 0$

정답　(1) $x = -2$ 또는 $x = -3$　　(2) $x = 2$ 또는 $x = 5$
　　　(3) $x = 0$ 또는 $x = 4$　　　(4) $x = -3$ (중근)

기본문제 3-2 다음 이차방정식이 중근을 가질 때, k 의 값을 구하여라.

(1) $x^2 + 6x + k = 0$

(2) $x^2 - 8x + k = 0$

(3) $x^2 - 4x + k = 0$

(4) $x^2 + 10x + k = 0$

정답   (1) $k = 9$ (2) $k = 16$
         (3) $k = 4$ (4) $k = 25$

기본문제 3-3 이차방정식 $x^2 + 6x + k + 2 = 0$ 이 중근을 가질 때, k 값을 구하시오.

정답   7

기본문제 3-4 이차방정식 $x^2 + 4x + k - 1 = 0$ 이 중근을 가질 때, k 값을 구하시오.

정답   5

유형 04　이차방정식의 근과 계수

(1) 이차방정식 $ax^2 + bx + c = 0(a \neq 0)$의 두 근을 α, β라 할 때,

　① $\alpha + \beta = -\dfrac{b}{a}$

　② $\alpha\beta = \dfrac{c}{a}$

(2) 합, 곱에 관한 곱셈공식

　① $\alpha^2 + \beta^2 = (\alpha + \beta)^2 - 2\alpha\beta$

　② $\dfrac{1}{\alpha} + \dfrac{1}{\beta} = \dfrac{\alpha + \beta}{\alpha\beta}$

기본문제 4-1　이차방정식 $x^2 + 7x + 5 = 0$의 두 근이 α, β일 때, 다음 식의 값을 구하여라.

(1) $\alpha + \beta$ 　　　　　　　　(2) $\alpha\beta$

(3) $\alpha^2 + \beta^2$ 　　　　　　　(4) $\dfrac{1}{\alpha} + \dfrac{1}{\beta}$

정답　(1) -7　　(2) 5
　　　(3) 39　　(4) $-\dfrac{7}{5}$

기본문제 4-2　이차방정식 $x^2 - 4x + 3 = 0$의 두 근이 α, β일 때, 다음 식의 값을 구하여라.

(1) $\alpha + \beta$ 　　　　　　　　(2) $\alpha\beta$

(3) $\alpha^2 + \beta^2$ 　　　　　　　(4) $\dfrac{1}{\alpha} + \dfrac{1}{\beta}$

정답　(1) 4　　(2) 3
　　　(3) 10　　(4) $\dfrac{4}{3}$

기본문제 4-3 $x^2 + 3x - 2 = 0$ 의 두 근을 α, β 라 할 때, $\alpha^2 + \beta^2$ 의 값을 구하여라.

정답   13

기본문제 4-4 $x^2 + 3x + 4 = 0$ 의 두 근을 α, β 라 할 때, $\dfrac{1}{\alpha} + \dfrac{1}{\beta}$ 의 값을 구하여라.

정답 $-\dfrac{3}{4}$

유형 05   이차함수의 꼭짓점

(1) 이차함수의 뜻

$y = ax^2 + bx + c$ 와 같이 y를 x에 관한 이차식으로 나타낼 때, 이 함수를 이차함수라 한다.

(2) 이차함수의 표준형 : $y = a(x - p)^2 + q$

꼭짓점 : (p, q)

(3) 이차함수의 일반형 : $y = ax^2 + bx + c$ 의 꼭짓점은 공식을 이용하여 구하거나, 표준형으로 고친다.

꼭짓점 : $\left(-\dfrac{b}{2a}, \text{대입} \right)$

기본문제 5-1 다음 이차함수의 꼭짓점의 좌표를 구하여라.

(1) $y = (x + 2)^2 + 1$

(2) $y = (x + 3)^2 + 5$

(3) $y = (x - 1)^2 + 7$

(4) $y = (x - 4)^2 - 3$

정답 (1) $(-2,\ 1)$ (2) $(-3,\ 5)$
      (3) $(1,\ 7)$ (4) $(4,\ -3)$

기본문제 5-2 다음 이차함수의 꼭짓점의 좌표를 구하여라.

(1) $y = -(x + 3)^2 + 2$

(2) $y = -2(x + 1)^2 + 2$

(3) $y = -(x - 1)^2 + 5$

(4) $y = -(x - 3)^2 - 1$

정답 (1) $(-3,\ 2)$ (2) $(-1,\ 2)$
      (3) $(1,\ 5)$ (4) $(3,\ -1)$

다음 이차함수의 꼭짓점의 좌표를 구하여라.

(1) $y = x^2 + 4x + 5$

(2) $y = x^2 + 2x + 4$

(3) $y = x^2 - 6x + 7$

(4) $y = x^2 - 10x + 21$

정답　(1) $(-2,\ 1)$　　(2) $(-1,\ 3)$
　　　(3) $(3,\ -2)$　　(4) $(5,\ -4)$

다음 이차함수의 꼭짓점의 좌표를 구하여라.

(1) $y = 2x^2 + 4x + 7$

(2) $y = 2x^2 + 8x + 5$

(3) $y = -x^2 + 2x + 3$

(4) $y = -x^2 + 6x + 4$

정답　(1) $(-1,\ 5)$　　(2) $(-2,\ -3)$
　　　(3) $(1,\ 4)$　　(4) $(3,\ 13)$

유형 06 　이차함수의 최대, 최소

(1) 정의역에 제한이 없을 때의 최대, 최소

　　$f(x) = ax^2 + bx + c$ 의 최대, 최소

　　　　$a > 0$일 때 : 꼭짓점에서 최솟값을 갖는다. 최댓값은 없다.

　　　　$a < 0$일 때 : 꼭짓점에서 최댓값을 갖는다. 최솟값은 없다.

(2) 정의역에 제한이 있을 때의 최대, 최소

　　$m \leq x \leq n$일 때 $f(x) = ax^2 + bx + c$의 최대, 최소 :

　　$f(m),\ f(n),\ f\left(-\dfrac{b}{2a}\right)$중 가장 큰 값이 최대, 가장 작은 값이 최소이다.

※ 꼭짓점이 범위 안에 없을 때는 $f(m),\ f(n)$ 중 큰 값이 최대, 작은 값이 최소이다.

기본문제 6-1 　다음 이차함수의 최댓값과 최솟값을 구하시오.

(1) $y = (x - 2)^2 + 4$

(2) $y = (x + 3)^2 + 7$

(3) $y = x^2 - 6x + 11$

(4) $y = x^2 - 2x + 4$

정답　(1) 최솟값 : 4, 최댓값 : 없다.　(2) 최솟값 : 7, 최댓값 : 없다.
　　　(3) 최솟값 : 2, 최댓값 : 없다.　(4) 최솟값 : 3, 최댓값 : 없다.

기본문제 6-2 다음 이차함수의 최댓값과 최솟값을 구하시오.

(1) $y = -(x-1)^2 + 5$

(2) $y = -(x+3)^2 + 4$

(3) $y = -x^2 + 2x + 1$

(4) $y = -x^2 + 4x - 3$

정답 (1) 최솟값 : 없다, 최댓값 : 5 (2) 최솟값 : 없다, 최댓값 : 4
     (3) 최솟값 : 없다, 최댓값 : 2 (4) 최솟값 : 없다, 최댓값 : 1

기본문제 6-3 $y = x^2 - 2x + 5$ 는 $x = a$에서 최솟값 b를 갖는다. $a + b$의 값을 구하시오.

정답   5

기본문제 6-4 다음 주어진 범위에서 이차함수의 최댓값과 최솟값을 구하시오.

(1) $y = (x-2)^2 + 5$ $(0 \le x \le 3)$

(2) $y = (x+1)^2 + 2$ $(-2 \le x \le 1)$

(3) $y = -(x-1)^2 + 2$ $(1 \le x \le 3)$

(4) $y = -(x+2)^2 + 3$ $(0 \le x \le 2)$

정답 (1) 최솟값 : 5, 최댓값 : 9 (2) 최솟값 : 2, 최댓값 : 6
     (3) 최솟값 : -2, 최댓값 : 2 (4) 최솟값 : -13, 최댓값 : -1

기본문제 6-5 $y = x^2 - 2x + 3 \ (0 \leq x \leq 3)$의 최댓값과 최솟값의 합은?

정답   8

기본문제 6-6 $y = x^2 - 4x + 6 \ (3 \leq x \leq 5)$의 최댓값과 최솟값의 합은?

정답   14

유형 07   연립방정식

(1) 미지수가 2개인 연립일차방정식 : 미지수가 2개인 두 일차방정식을 한 쌍으로 묶어 놓은 것

(2) 연립방정식의 해 : 두 일차방정식을 동시에 만족하는 x, y의 값

(3) 연립방정식의 풀이

① 가감법 : 두 일차방정식을 변끼리 더하거나 빼서 한 미지수를 소거하여 해를 구하는 방법

※ 해가 주어진 방정식은 주어진 해를 식에 대입한다.

연립방정식 $\begin{cases} x + y = 5 \\ x - y = 3 \end{cases}$ 을 만족하는 x, y의 값을 구하시오.

정답 $x = 4, y = 1$

기본문제 7-2 연립방정식 $\begin{cases} 2x + y = 9 \\ x - y = 3 \end{cases}$ 을 만족하는 x, y의 값을 구하시오.

정답 $x = 4, y = 1$

기본문제 7-3 연립방정식 $\begin{cases} x + y = 8 \\ xy = a \end{cases}$ 를 만족하는 해가 $x = 2$, $y = b$일 때, $a + b$의 값은?

정답   18

기본문제 7-4 연립방정식 $\begin{cases} x + y = a \\ xy = 8 \end{cases}$ 을 만족하는 해가 $x = 4$, $y = b$일 때, $a + b$의 값은?

정답   8

기본문제 7-5　연립방정식 $\begin{cases} x^2+y^2=a \\ xy=6 \end{cases}$ 을 만족하는 해가 $x=2, y=b$일 때, $a+b$의 값은?

정답　16

유형 08　절댓값부등식

양의 실수 a, b에 대하여
(1) $|x|<a \Leftrightarrow -a<x<a$
(2) $|x|>a \Leftrightarrow x<-a$ 또는 $x>a$

기본문제 8-1　다음 부등식 $|x|<3$의 해를 구하시오.

정답　$-3<x<3$

기본문제 8-2　다음 부등식 $|x|>2$의 해를 구하시오.

정답　$x<-2$ 또는 $x>2$

다음 부등식 $|x - 2| < 4$ 의 해를 구하시오.

정답 $-2 < x < 6$

다음 부등식 $|x + 1| > 3$ 의 해를 구하시오.

정답 $x < -4$ 또는 $x > 2$

다음 부등식 $|2x - 1| < 5$ 를 만족하는 정수 x의 개수를 구하시오.

정답   4개

유형 09 이차부등식

이차부등식의 풀이

$ax^2 + bx + c = 0 \, (a > 0)$의 두 근을 $\alpha, \ \beta (\alpha < \beta)$라 하면

① $ax^2 + bx + c > 0$의 해는 $x < \alpha$ 또는 $x > \beta$

② $ax^2 + bx + c < 0$의 해는 $\alpha < x < \beta$

기본문제 9-1 다음 이차부등식의 근을 구하여라.

(1) $x^2 - 7x + 10 < 0$

(2) $x^2 + 8x + 12 < 0$

(3) $x^2 - 4x < 0$

(4) $x^2 - 9 < 0$

정답 (1) $2 < x < 5$　　(2) $-6 < x < -2$
　　　(3) $0 < x < 4$　　(4) $-3 < x < 3$

기본문제 9-2 다음 이차부등식의 근을 구하여라.

(1) $x^2 - 9x + 14 > 0$

(2) $x^2 - 3x - 4 > 0$

(3) $x^2 - 3x > 0$

(4) $x^2 - 4 > 0$

정답 (1) $x < 2$ 또는 $x > 7$　　(2) $x < -1$ 또는 $x > 4$
　　　(3) $x < 0$ 또는 $x > 3$　　(4) $x < -2$ 또는 $x > 2$

기본문제 9-3 다음 그림을 해로 갖는 최고차항의 계수가 1인 이차부등식을 구하여라.

정답 $(x-1)(x-3) \geq 0$

기본문제 9-4 다음 그림을 해로 갖는 최고차항의 계수가 1인 이차부등식을 구하여라.

정답 $(x+1)(x-2) \leq 0$

기본문제 9-5 부등식 $x^2 - 3x - 4 \leq 0$의 해가 $a \leq x \leq b$일 때, $b - a$의 값을 구하여라.

정답   5

4. 복소수

1. $\sqrt{-1}$과 같은 것은?

   ① 1
   ② -1
   ③ i
   ④ $-i$

2. $3 + \sqrt{-9}$를 $a + bi$꼴로 바르게 나타낸 것은? (단, a, b는 실수이고, $i = \sqrt{-1}$)

   ① $3 + \sqrt{6}\,i$
   ② $3 - \sqrt{3}\,i$
   ③ $3 + 3i$
   ④ $3 - 5i$

3. $1 + \sqrt{-2}$를 $a + bi$꼴로 바르게 나타낸 것은? (단, a, b는 실수이고, $i = \sqrt{-1}$)

   ① $1 + \sqrt{2}\,i$
   ② $1 - \sqrt{2}\,i$
   ③ $1 + 2i$
   ④ $1 - 2i$

4. $\sqrt{-1} + \sqrt{-25}$를 계산하면? (단, $i = \sqrt{-1}$)

   ① 6
   ② $5i$
   ③ $6i$
   ④ $26i$

5. $z = 2 + 3i$의 켤레복소수를 $\overline{z}$라 할 때, 다음 중 $\overline{z}$의 값은? (단, $i = \sqrt{-1}$)

   ① $-2 + 3i$
   ② $2 - 3i$
   ③ $-2 - 3i$
   ④ $2i + 3$

6. $\overline{4-3i}$ 와 같은 복소수는? (단, $i = \sqrt{-1}$)

① $-4 + 3i$ ② $4 - 3i$

③ $4 + 3i$ ④ $4i + 3$

7. $z = 2 + 3i$의 켤레복소수를 $\overline{z}$ 라 할 때, $z + \overline{z}$ 의 값은? (단, $i = \sqrt{-1}$)

① $4i$ ② $6i$

③ 3 ④ 4

8. $-2 + xi = y + 3i$를 만족하는 실수 x, y에 대하여 $x + y$의 값은?
(단, $i = \sqrt{-1}$)

① 0 ② 1

③ 2 ④ 3

9. 두 실수 a, b에 대하여 $(a + 1) + 3i = 2 + bi$일 때, a, b의 값은?
(단, $i = \sqrt{-1}$)

① $a = 2$, $b = 3$ ② $a = 1$, $b = 3$

③ $a = 2$, $b = -3$ ④ $a = 3$, $b = -2$

10. $2x + (y - 3)i = 6 + 2i$를 만족하는 실수 x, y에 대하여 xy의 값은? (단, $i = \sqrt{-1}$)

① 2 ② 3

③ 8 ④ 15

11. 두 실수 a, b에 대하여 $(a - 5) + (b - 3)i = 0$일 때, a, b의 값은?
   (단, $i = \sqrt{-1}$)

   ① $a = 5$, $b = 3$ ② $a = -5$, $b = 3$
   ③ $a = -5$, $b = -3$ ④ $a = -3$, $b = -5$

12. 두 실수 a, b에 대하여 $(a + 3) + (b - 2)i = 0$일 때, a, b의 값은?
   (단, $i = \sqrt{-1}$)

   ① $a = 3$, $b = -2$ ② $a = -3$, $b = -2$
   ③ $a = -2$, $b = -3$ ④ $a = -3$, $b = 2$

13. $(4 + 3i) + (-2 + 2i) = a + bi$를 만족하는 두 실수 a, b에 대하여 $a + b$의 값은?(단, $i = \sqrt{-1}$)

   ① 7   ② 5
   ③ 2   ④ 3

14. $(2 - 5i) + (3 + 4i) = a + bi$를 만족하는 두 실수 a, b에 대하여 $a - b$의 값은?(단, $i = \sqrt{-1}$)

   ① 7   ② 6
   ③ 5   ④ 4

15. $(1 + 3i) - (2 + i) = a + bi$를 만족하는 두 실수 a, b에 대하여 $a + b$의 값은?(단, $i = \sqrt{-1}$)

   ① 1   ② 7
   ③ 2   ④ 3

16. 두 복소수 $x = 5 + 6i$, $y = 4 + i$에 대하여 $x - y$의 값은? (단, $i = \sqrt{-1}$)

    ① $9 + 7i$ ② $1 + 5i$

    ③ $5 - i$ ④ $7 + 3i$

17. $(1 + 2i)(3 + 3i)$를 계산하면? (단, $i = \sqrt{-1}$)

    ① $5 + 2i$ ② $9 + 7i$

    ③ $-3 + 9i$ ④ $9i$

18. $(2 + 3i)(3 - i)$를 계산하면? (단, $i = \sqrt{-1}$)

    ① $5 + 2i$ ② $9 + 7i$

    ③ $6 - 3i$ ④ $9i$

19. $(2 + i)(2 - i)$를 계산하면? (단, $i = \sqrt{-1}$)

    ① 0 ② 1

    ③ 3 ④ 5

20. $\dfrac{1 - i}{1 + i}$를 간단히 하면? (단, $i = \sqrt{-1}$)

    ① 1 ② -1

    ③ i ④ $-i$

5. 이차방정식

1. 이차방정식 $x^2 + 4x + 3 = 0$의 해는?

　① $x = 6$ 또는 $x = -4$　　　　② $x = 1$ 또는 $x = 3$

　③ $x = -1$ 또는 $x = -3$　　　④ $x = -6$ 또는 $x = 4$

2. 이차방정식 $x^2 - 5x + 4 = 0$의 해는?

　① $x = 1$ 또는 $x = 4$　　　　② $x = -8$ 또는 $x = 3$

　③ $x = 8$ 또는 $x = -3$　　　④ $x = -1$ 또는 $x = -4$

3. 이차방정식 $x^2 - 5x - 24 = 0$의 해는?

　① $x = 6$ 또는 $x = -4$　　　　② $x = -8$ 또는 $x = 3$

　③ $x = 8$ 또는 $x = -3$　　　④ $x = -6$ 또는 $x = 4$

4. 이차방정식 $x^2 - 2x - 24 = 0$의 해는?

　① $x = 6$ 또는 $x = -4$　　　　② $x = -8$ 또는 $x = 3$

　③ $x = 8$ 또는 $x = -3$　　　④ $x = -6$ 또는 $x = 4$

5. 이차방정식 $x^2 - 3x + 4 = 0$의 두 근이 α, β일 때, $\alpha\beta$의 값은?

　① 1　　　　　　　　　　　② 2

　③ 3　　　　　　　　　　　④ 4

6. 이차방정식 $x^2 - 6x + 2 = 0$의 두 근이 α, β일 때, $\alpha + \beta$의 값은?

① 1   ② 2

③ 3   ④ 6

7. 이차방정식 $x^2 + 5x - 14 = 0$의 두 근이 α, β일 때, $\alpha\beta + \alpha + \beta + 1$의 값은?

① -14 ② 5

③ -5 ④ -18

8. 이차방정식 $x^2 - 3x + 2 = 0$의 두 근이 α, β일 때, $\dfrac{\alpha + \beta}{\alpha\beta}$의 값은?

① 1   ② $\dfrac{1}{2}$

③ $\dfrac{3}{2}$ ④ $\dfrac{5}{6}$

9. 이차방정식 $x^2 + 4x + 3 = 0$의 두 근을 α, β라고 할 때, $\alpha^2 + \beta^2$의 값은?

① -6 ② -5

③ 5   ④ 10

10. 이차방정식 $x^2 - 6x + 4 = 0$의 두 근을 α, β라고 할 때, $\alpha^2 + \beta^2$의 값은?

① 36   ② 28

③ 30   ④ 9

11. 이차방정식 $x^2 + 2x + 8 = 0$의 두 근이 α, β일 때, $\dfrac{1}{\alpha} + \dfrac{1}{\beta}$의 값은?

① $-\dfrac{1}{4}$ ② 4

③ -2 ④ $\dfrac{1}{2}$

12. 이차방정식 $x^2 + 3x - 1 = 0$의 두 근이 α, β일 때, $\dfrac{1}{\alpha} + \dfrac{1}{\beta}$의 값은?

① -3 ② 3

③ $-\dfrac{1}{3}$ ④ $\dfrac{1}{3}$

13. 이차방정식 $x^2 + kx + 6 = 0$의 한 근이 3일 때, 다른 한 근은?

① 1 ② 2

③ 3 ④ 4

14. 이차방정식 $x^2 + 6x + k = 0$의 한 근이 -4일 때, k값은?

① 5 ② -2

③ -3 ④ 8

15. 두 수 5, 2를 근으로 하는 x^2의 계수가 1인 이차방정식은?

① $x^2 + 7x - 10 = 0$ ② $x^2 - 7x + 10 = 0$

③ $x^2 - 3x + 3 = 0$ ④ $x^2 - 4x - 3 = 0$

16. 두 수 -5, 2를 근으로 하는 x^2의 계수가 1인 이차방정식은?

① $x^2 + 3x - 7 = 0$ ② $x^2 + 3x - 10 = 0$

③ $x^2 - 3x + 10 = 0$ ④ $x^2 - 3x - 10 = 0$

17. 이차방정식 $x^2 + 10x + k = 0$이 중근을 가질 때, k의 값은?

① 1 ② 2

③ 25 ④ 16

18. 이차방정식 $x^2 + 6x + k + 4 = 0$이 중근을 가질 때, k의 값은?

① 1 ② 2

③ 5 ④ 9

19. 이차방정식 $x^2 + 4x + 4 = 0$의 실근의 개수는?

① 1개   ② 2개

③ 3개   ④ 0개

20. 이차방정식 $x^2 + 6x + k = 0$이 서로 다른 두 실근을 가질 때, k 값의 범위는?

① $k < 4$ ② $k > 9$

③ $k < 9$ ④ $k > 4$

6. 이차함수

1. 이차함수 $y = (x + 1)^2 - 2$의 꼭짓점의 좌표는?

   ① $(-1, \ -2)$ ② $(1, \ 2)$
   ③ $(0, \ 0)$ ④ $(-3, \ 0)$

2. 이차함수 $y = 2(x - 1)^2 - 2$의 꼭짓점의 좌표는?

   ① $(1, \ 2)$ ② $(1, \ -2)$
   ③ $(-1, \ -2)$ ④ $(1, \ 2)$

3. 이차함수 $y = -(x + 2)^2 + 3$의 꼭짓점의 좌표는?

   ① $(-2, \ 3)$ ② $(2, \ 3)$
   ③ $(2, \ -3)$ ④ $(-2, \ -3)$

4. 이차함수 $y = 3(x - 1)^2 + 5$의 꼭짓점의 좌표는?

   ① $(-1, \ -5)$ ② $(-1, \ 5)$
   ③ $(1, \ 5)$ ④ $(1, \ -5)$

5. 이차함수 $y = x^2 + 4x + 5$의 꼭짓점의 좌표는?

   ① $(-2, \ 3)$ ② $(-2, \ 1)$
   ③ $(2, \ -3)$ ④ $(-2, \ -3)$

6. 이차함수 $y = x^2 - 6x + 5$의 꼭짓점의 좌표는?

   ① $(3,\ 4)$ ② $(3,\ -4)$

   ③ $(2,\ 4)$ ④ $(-2,\ -4)$

7. 이차함수 $y = -x^2 + 4x + 5$의 꼭짓점의 좌표는?

   ① $(2,\ 9)$ ② $(3,\ -4)$

   ③ $(2,\ 4)$ ④ $(1,\ 3)$

8. 이차함수 $y = x^2 - 2x + 5$의 최솟값은?

   ① 4   ② 3

   ③ 5   ④ 2

9. 이차함수 $y = x^2 - 6x + 11$의 최솟값은?

   ① 4   ② 3

   ③ 5   ④ 2

10. 이차함수 $y = -x^2 + 2x + 3$의 최댓값은?

   ① 4   ② 3

   ③ 5   ④ 7

11. 이차함수 $y = x^2 + 10x + 29$는 $x = a$일 때, 최솟값 b를 갖는다. $a + b$의 값은?

① -1　　　　　　　　　　② 9

③ 7　　　　　　　　　　④ 29

12. 이차함수 $y = 2x^2 - 8x + 13$은 $x = a$일 때, 최솟값 b를 갖는다. $a + b$의 값은?

① 1　　　　　　　　　　② 5

③ 7　　　　　　　　　　④ 9

13. $0 \leq x \leq 3$의 범위에서 이차함수 $y = x^2 - 4x + 9$의 최댓값을 M, 최솟값을 m이라 할 때, $M + m$의 값은?

① 4　　　　　　　　　　② 14

③ 15　　　　　　　　　　④ 13

14. $1 \leq x \leq 4$의 범위에서 이차함수 $y = x^2 - 6x + 10$의 최댓값을 M, 최솟값을 m이라 할 때, $M + m$의 값은?

① 6　　　　　　　　　　② 14

③ -5　　　　　　　　　　④ 11

15. $0 \leq x \leq 3$의 범위에서 이차함수 $y = -x^2 + 2x - 5$의 최댓값을 M, 최솟값을 m이라 할 때, $M + m$의 값은?

① -8　　　　　　　　　　② -13

③ -15　　　　　　　　　　④ -12

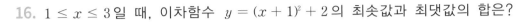

16. $1 \le x \le 3$일 때, 이차함수 $y = (x+1)^2 + 2$의 최솟값과 최댓값의 합은?

① 24   ② 25

③ 26   ④ 27

17. $3 \le x \le 5$일 때, 이차함수 $y = (x-2)^2 + 3$의 최솟값과 최댓값의 합은?

① 14   ② 15

③ 16   ④ 17

18. $0 \le x \le 3$일 때, 이차함수 $y = (x-1)^2 + 2$의 최댓값은?

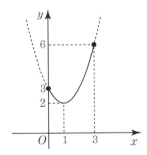

① 2

② 4

③ 6

④ 8

19. 이차함수 $y = x^2 - 6x + 9$와 x축과의 교점의 개수는?

① 1개   ② 2개

③ 0개   ④ 3개

20. 다음 중 그래프가 x축과 한 점에서 만나는 이차함수는?

① $y = x^2 + 2x + 3$ ② $y = x^2 - 5x + 4$

③ $y = x^2 + 4x + 4$ ④ $y = x^2 - 8x + 2$

7. 연립방정식

1. 연립방정식 $\begin{cases} x + y = 5 \\ x - y = 1 \end{cases}$ 을 만족하는 x, y에 대하여 xy의 값은?

  ① 0   ② 1
  ③ 2   ④ 6

2. 연립방정식 $\begin{cases} x + y = 10 \\ x - y = 6 \end{cases}$ 을 만족하는 x, y에 대하여 x, y의 값은?

  ① $x = 8$, $y = 2$ ② $x = 5$, $y = 3$
  ③ $x = 6$, $y = 4$ ④ $x = 7$, $y = 1$

3. 연립방정식 $\begin{cases} x + y = 9 \\ x - y = 5 \end{cases}$ 를 만족하는 x, y에 대하여 x, y의 값은?

  ① $x = 8$, $y = 2$ ② $x = 5$, $y = 3$
  ③ $x = 7$, $y = 2$ ④ $x = 7$, $y = 1$

4. 연립방정식 $\begin{cases} x + 2y = 8 \\ x - 2y = 4 \end{cases}$ 를 만족하는 x, y에 대하여 $x + y$의 값은?

  ① 1   ② 3
  ③ 5   ④ 7

5. 연립방정식 $\begin{cases} 2x + y = 12 \\ 2x - y = 8 \end{cases}$ 을 만족하는 x, y에 대하여 $x - y$의 값은?

  ① 3   ② 2
  ③ 1   ④ 0

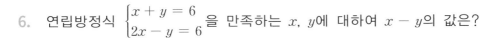

6. 연립방정식 $\begin{cases} x + y = 6 \\ 2x - y = 6 \end{cases}$ 을 만족하는 x, y에 대하여 $x - y$의 값은?

   ① 0   ② 2
   ③ 6   ④ 8

7. 연립방정식 $\begin{cases} 2x + y = 10 \\ x - y = 5 \end{cases}$ 를 만족하는 x, y에 대하여 $x + y$의 값은?

   ① 5   ② 6
   ③ 7   ④ 8

8. 연립방정식 $\begin{cases} x + 2y = 9 \\ x - 2y = 1 \end{cases}$ 을 만족하는 x, y에 대하여 x, y의 값은?

   ① $x = 5$, $y = 2$ ② $x = 4$, $y = 2$
   ③ $x = 6$, $y = 4$ ④ $x = 7$, $y = 1$

9. 연립방정식 $\begin{cases} 3x + y = 9 \\ x + y = 3 \end{cases}$ 을 만족하는 x, y에 대하여 x, y의 값은?

   ① $x = 8$, $y = 2$ ② $x = 5$, $y = 3$
   ③ $x = 3$, $y = 4$ ④ $x = 3$, $y = 0$

10. 연립방정식 $\begin{cases} 2x + y = 10 \\ x + y = 6 \end{cases}$ 을 만족하는 x, y에 대하여 x, y의 값은?

   ① $x = 4$, $y = 2$ ② $x = 5$, $y = 3$
   ③ $x = 3$, $y = 4$ ④ $x = 3$, $y = 3$

11. 연립방정식 $\begin{cases} 4x + y = 20 \\ 2x + y = 12 \end{cases}$ 를 만족하는 x, y에 대하여 x, y의 값은?

① $x = 4$, $y = 2$ ② $x = 4$, $y = 4$

③ $x = 3$, $y = 4$ ④ $x = 3$, $y = 3$

12. 연립방정식 $\begin{cases} 3x + y = 6 \\ 2x + y = 4 \end{cases}$ 를 만족하는 x, y에 대하여 $x + y$의 값은?

① 0   ② 1

③ 2   ④ 3

13. 연립방정식 $\begin{cases} 2x + 3y = 11 \\ 2x + y = 5 \end{cases}$ 를 만족하는 x, y에 대하여 xy의 값은?

① 0   ② 1

③ 2   ④ 3

14. 연립방정식 $\begin{cases} x + y = a \\ x - y = b \end{cases}$ 의 해가 $x = 5$, $y = 2$일 때, $a + b$의 값은?

① 4   ② 6

③ 8   ④ 10

15. 연립방정식 $\begin{cases} x + y = a \\ x - y = b \end{cases}$ 의 해가 $x = 7$, $y = 3$일 때, $a - b$의 값은?

① 4   ② 6

③ 8   ④ 10

16. 연립방정식 $\begin{cases} x + y = 9 \\ x - y = a \end{cases}$ 의 해가 $x = 7$, $y = b$일 때, $a + b$의 값은?

① 6 　　　　　　　　　　② 7
③ 8 　　　　　　　　　　④ 9

17. 연립방정식 $\begin{cases} 2x + y = 10 \\ x - y = a \end{cases}$ 의 해가 $x = 3$, $y = b$일 때, $a + b$의 값은?

① 2 　　　　　　　　　　② 3
③ 4 　　　　　　　　　　④ 5

18. 연립방정식 $\begin{cases} x + y = a \\ xy = b \end{cases}$ 의 해가 $x = 3$, $y = 4$일 때, $a - b$의 값은?

① 19 　　　　　　　　　　② -5
③ 5 　　　　　　　　　　④ 7

19. 연립방정식 $\begin{cases} x + y = 10 \\ xy = a \end{cases}$ 의 해가 $x = 8$, $y = b$일 때, $a + b$의 값은?

① 16 　　　　　　　　　　② 17
③ 18 　　　　　　　　　　④ 19

20. 연립방정식 $\begin{cases} x + y = 6 \\ xy = a \end{cases}$ 의 해가 $x = 2$, $y = b$일 때, $a + b$의 값은?

① 12 　　　　　　　　　　② 13
③ 8 　　　　　　　　　　④ 9

8. 부등식

1. 부등식 $|x| \leq 2$를 수직선 위에 나타낸 것은?

① 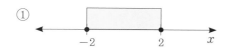 ②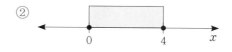

③  ④

2. 부등식 $|x| > 2$를 풀면?

① $0 < x < 2$ ② $x < -2$ 또는 $x > 0$
③ $x < -2$ 또는 $x > 2$ ④ $-2 < x < 2$

3. 부등식 $|x + 1| \geq 4$를 수직선 위에 나타낸 것은?

①  ②

③  ④

4. 부등식 $|x - 5| < 1$을 풀면?

① $-1 < x < 5$ ② $4 < x < 6$
③ $x < 1$ 또는 $x > 5$ ④ $x < -3$ 또는 $x > 3$

5. 부등식 $|x - 2| \leq 3$을 풀면?

① $x \leq -1$ 또는 $x \geq 5$ ② $x \leq -3$ 또는 $x \geq 3$

③ $-1 \leq x \leq 3$ ④ $-1 \leq x \leq 5$

6. 부등식 $|2x - 4| \geq 6$을 풀면?

① $2 \leq x \leq 10$ ② $-1 \leq x \leq 5$

③ $x \leq -2$ 또는 $x \geq 2$ ④ $x \leq -1$ 또는 $x \geq 5$

7. 부등식 $|2x + 1| \leq 7$을 만족하는 정수 x의 개수는?

① 4   ② 6

③ 7   ④ 8

8. 이차부등식 $x(x - 4) \leq 0$의 해는?

①    ②

③    ④

9. 이차부등식 $(x - 2)(x - 6) > 0$의 해는?

① $2 < x < 6$ ② $-6 < x < 2$

③ $x < 2$ 또는 $x > 6$ ④ $x < -6$ 또는 $x > -2$

10. 이차부등식 $x^2 - 7x + 10 \leq 0$의 해는?

① $2 \leq x \leq 5$ ② $-5 \leq x \leq -2$
③ $x \leq -5$ 또는 $x \geq -2$ ④ $x \leq 2$ 또는 $x \geq 5$

11. 이차부등식 $x^2 - 3x - 18 \geq 0$의 해는?

① $3 \leq x \leq 6$ ② $-3 \leq x \leq 6$
③ $x \leq -3$ 또는 $x \geq 6$ ④ $x \leq -6$ 또는 $x \geq 3$

12. 이차부등식 $x^2 + 11x + 18 > 0$의 해는?

①    ②

③    ④

13. 이차부등식 $x^2 + 3x - 10 \leq 0$의 해가 $a \leq x \leq b$일 때, $a + b$의 값은?

① 3   ② -3
③ 7   ④ -7

14. 이차부등식 $x^2 - 2x - 8 < 0$을 만족하는 정수 x의 개수는?

① 1   ② 3
③ 5   ④ 7

15. 이차부등식 $x^2 - x - 6 \leq 0$을 만족하는 정수 x의 개수는?

① 5   ② 4

③ 2   ④ 6

16. 이차부등식 $x^2 + ax + b < 0$의 해가 $2 < x < 3$일 때, $a + b$의 값은?

① 1   ② -3

③ 7   ④ -7

17. 다음 연립부등식을 만족하는 정수 x의 개수는?

$$\begin{cases} x < 6 \\ (x-1)(x-8) < 0 \end{cases}$$

① 1   ② 2

③ 3   ④ 4

18. 다음 연립부등식을 만족하는 정수 x의 개수는?

$$\begin{cases} x^2 - 3x - 10 < 0 \\ (x-2)(x-8) < 0 \end{cases}$$

① 1   ② 2

③ 3   ④ 4

19. 다음 연립부등식을 만족하는 정수 x의 개수는?

$$\begin{cases} 2x + 1 < 7 \\ x^2 - 5x - 6 \le 0 \end{cases}$$

① 1   ② 2

③ 3   ④ 4

20. 연립부등식 $\begin{cases} 3x - 2 > 4 \\ (x + 1)(x - 5) < 0 \end{cases}$ 의 해가 $a < x < b$일 때, 만족하는 $a + b$의 값은?

① 5   ② 6

③ 7   ④ 8

03. 도형의 방정식

유형 01 두 점 사이의 거리 / 중점

(1) 두 점 사이의 거리

좌표평면 위의 두 점 $A(x_1, \ y_1)$, $B(x_2, \ y_2)$

사이의 거리는

$\overline{AB} = \sqrt{(x_2 - x_1)^2 + (y_2 - y_1)^2}$

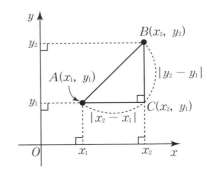

(2) 중점

두 점 $A(x_1, \ y_1)$, $B(x_2, \ y_2)$를 이은

선분 AB의 중점 좌표는

$\left(\dfrac{x_1 + x_2}{2}, \ \dfrac{y_1 + y_2}{2} \right)$

기본문제 1-1   주어진 두 점 A, B 사이의 거리를 구하시오.

(1) $A(2, \ 4)$, $B(5, \ 6)$

(2) $A(1, \ 7)$, $B(5, \ 4)$

(3) $A(-1, \ 2)$, $B(3, \ 3)$

(4) $A(3, \ -1)$, $B(5, \ 3)$

정답: (1) $\sqrt{13}$ (2) 5
       (3) $\sqrt{17}$ (4) $2\sqrt{5}$

기본문제 1-2   두 점 $A(3,\ 5)$, $B(7,\ 2)$일 때, $\overline{AB}$ 의 길이를 구하여라.

정답   5

기본문제 1-3   두 점 $A(-1,\ 3)$, $B(2,\ 6)$일 때, 두 점 사이의 거리를 구하여라.

정답 $3\sqrt{2}$

기본문제 1-4   주어진 두 점 A, B에 대하여 $\overline{AB}$ 의 중점의 좌표를 구하시오.

(1) $A(2,\ 1)$, $B(0,\ 7)$

(2) $A(1,\ 7)$, $B(5,\ 5)$

(3) $A(-1,\ 1)$, $B(3,\ 3)$

(4) $A(3,\ -1)$, $B(5,\ 3)$

정답   (1) (1, 4)   (2) (3, 6)
(3) (1, 2)   (4) (4, 1)

$A(-2,\ 5)$, $B(4,\ 1)$에 대하여 $\overline{AB}$ 의 중점의 좌표는?

정답: $(1,\ 3)$

$A(2,\ 1)$, $B(a,\ b)$의 중점의 좌표가 $(3,\ 5)$일 때, $a+b$의 값은?

정답: 13

유형 02 수직선 상에서 내분, 외분

(1) 수직선 위에 있는 두 점 $A(x_1)$과 $B(x_2)$에 대하여 선분 AB를 $m:n$

$(m>0,\ n>0)$으로 내분하는 점 P와 외분하는 점 Q의 좌표는 다음과 같다.

① 내분점 : $P\left(\dfrac{mx_2+nx_1}{m+n}\right)$ ② 외분점 : $Q\left(\dfrac{mx_2-nx_1}{m-n}\right)$

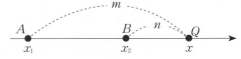

(2) 좌표평면 위의 두 점 $A(x_1,\ y_1)$, $B(x_2,\ y_2)$에 대하여

① 선분 AB를 $m:n(m>0,\ n>0)$으로 내분하는 점을 P라고 하면

$$P\left(\dfrac{mx_2+nx_1}{m+n},\ \dfrac{my_2+ny_1}{m+n}\right)$$

② 선분 AB를 $m:n(m>0,\ n>0)$으로 외분하는 점을 Q라고 하면

$$Q\left(\dfrac{mx_2-nx_1}{m-n},\ \dfrac{my_2-ny_1}{m-n}\right)$$

기본문제 2-1 수직선 위에 있는 두 점 $A(5)$와 $B(8)$에 대하여 선분 AB를 2:1로 내분하는 점의 좌표를 구하시오.

정답 7

기본문제 2-2 수직선 위에 있는 두 점 $A(3)$과 $B(7)$에 대하여 선분 AB를 3:2로 외분하는 점의 좌표를 구하시오.

정답 15

기본문제 2-3 주어진 두 점 A, B에 대하여 선분 AB를 2:1로 내분하는 점의 좌표를 구하시오.

(1) $A(1, \ 2)$, $B(4, \ 8)$

(2) $A(6, \ 4)$, $B(3, \ 7)$

(3) $A(9, \ 4)$, $B(3, \ 1)$

(4) $A(-1, \ 1)$, $B(8, \ 7)$

정답 (1) $(3, \ 6)$ (2) $(4, \ 6)$
(3) $(5, \ 2)$ (4) $(5, \ 5)$

기본문제 2-4 주어진 두 점 A, B에 대하여 선분 AB를 3:1로 외분하는 점의 좌표를 구하시오.

(1) $A(3, 1)$, $B(5, 7)$

(2) $A(2, 6)$, $B(4, 4)$

(3) $A(1, 2)$, $B(5, 8)$

(4) $A(-2, 3)$, $B(4, 1)$

정답   (1) $(6, 10)$ (2) $(5, 3)$
   (3) $(7, 11)$ (4) $(7, 0)$

기본문제 2-5 주어진 두 점 A, B에 대하여 선분 AB를 2 : 3으로 내분하는 점의 좌표를 구하시오.

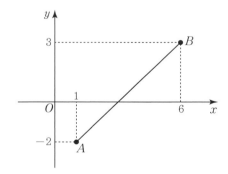

정답 $(3, 0)$

유형 03   직선의 방정식

(1) 직선의 방정식

　① 기울기가 a이고 y절편이 b인 직선의 방정식 : $y = ax + b$

　② 기울기가 a이고, $(p,\ q)$를 지나는 직선의 방정식 : $y = ax + b$에 $(p,\ q)$를 대입

　③ 두 점을 지나는 직선의 방정식 : 기울기를 구한다.

　　기울기 : $\dfrac{y\text{의 증가량}}{x\text{의 증가량}} = \dfrac{y_2 - y_1}{x_2 - x_1}$

(2) 두 직선의 위치 관계

　① 평행 : 기울기가 같다.

　② 수직 : 기울기의 부호가 반대, 역수

기본문제 3-1 다음 직선의 방정식을 구하시오.

(1) 기울기가 3이고, y절편이 6인 직선

(2) 기울기가 2이고, $(0,\ 4)$를 지나는 직선

(3) 기울기가 5이고, $(1,\ 8)$을 지나는 직선

(4) 기울기가 2이고, $(3,\ 7)$을 지나는 직선

정답 (1) $y = 3x + 6$　　(2) $y = 2x + 4$
　　　(3) $y = 5x + 3$　　(4) $y = 2x + 1$

다음 직선의 방정식을 구하시오.

(1) 두 점 $(1,\ 5)$, $(3,\ 9)$를 지나는 직선

(2) 두 점 $(1,\ 2)$, $(3,\ 4)$를 지나는 직선

(3) 두 점 $(-1,\ 0)$, $(0,\ 2)$를 지나는 직선

(4) 두 점 $(3,\ 0)$, $(0,\ 6)$을 지나는 직선

정답   (1) $y = 2x + 3$ (2) $y = x + 1$
          (3) $y = 2x + 2$ (4) $y = -2x + 6$

$y = 4x + 1$과 $y = mx + 2$가 평행할 때, m의 값을 구하시오.

정답   4

$y = 2x - 1$과 평행하고, 점 $(1,\ 3)$을 지나는 직선의 방정식을 구하시오.

정답 $y = 2x + 1$

$y = 5x + 1$과 $y = mx + 2$가 수직일 때, m의 값을 구하시오.

정답 $-\dfrac{1}{5}$

기본문제 3-6 $y = 2x + 1$과 수직이고, y절편이 4인 직선의 방정식을 구하시오.

정답 $y = -\dfrac{1}{2}x + 4$

기본문제 3-7 $3x + y + 2 = 0$과 평행하며, y절편이 1인 직선의 방정식을 구하시오.

정답 $y = -3x + 1$

유형 04   원의 방정식

(1) 원의 방정식의 표준형

　　$(x - a)^2 + (y - b)^2 = r^2$은 중심이 점 $(a, \ b)$, 반지름의 길이가 r

(2) 여러 가지 원의 방정식

　　① 중심이 $(a, \ b)$이고 x축에 접하는 원의 방정식 (반지름이 $|b|$)

　　　$(x - a)^2 + (y - b)^2 = b^2$

　　② 중심이 $(a, \ b)$이고 y축에 접하는 원의 방정식 (반지름이 $|a|$)

　　　$(x - a)^2 + (y - b)^2 = a^2$

　　③ 중심이 $(a, \ b)$이고 $(m, \ n)$을 지나는 원의 방정식

　　　$(x - a)^2 + (y - b)^2 = r^2$에 $(m, \ n)$ 대입

다음 원의 중심과 반지름을 구하시오.

(1) $x^2 + y^2 = 1$

(2) $(x - 2)^2 + (y - 1)^2 = 4$

(3) $(x + 1)^2 + (y + 3)^2 = 25$

(4) $(x - 3)^2 + (y + 2)^2 = 6$

정답   (1) 중심 $(0,\ 0)$, 반지름 1   (2) 중심 $(2,\ 1)$, 반지름 2
           (3) 중심 $(-1,\ -3)$, 반지름 5   (4) 중심 $(3,\ -2)$, 반지름 $\sqrt{6}$

$(x - 2)^2 + (y + 5)^2 = 9$의 중심을 $(a,\ b)$, 반지름을 r이라 할 때,
$a + b + r$의 값을 구하여라.

정답   0

중심이 $(1,\ 2)$이고, 반지름이 3인 원의 방정식을 구하여라.

정답 $(x - 1)^2 + (y - 2)^2 = 9$

기본문제 4-4   중심이 $(3,\ 4)$이고 x축에 접하는 원의 방정식을 구하여라.

정답 $(x-3)^2 + (y-4)^2 = 16$

기본문제 4-5   중심이 $(2,\ 3)$이고 원점을 지나는 원의 방정식을 구하여라.

정답 $(x-2)^2 + (y-3)^2 = 13$

유형 05   도형의 평행이동

(1) 점의 평행이동

점 $P(x,\ y)$를 x축의 방향으로 a만큼, y축의 방향으로 b만큼 평행이동한 점을 P' 이라 하면 $P'(x+a,\ y+b)$

(2) 도형의 평행이동

식 $f(x,\ y) = 0$을 x축의 방향으로 a만큼, y축의 방향으로 b만큼 평행이동한 도형의 방정식은 $f(x-a,\ y-b) = 0$

기본문제 5-1   점 $(4,\ 1)$을 x축의 방향으로 2만큼, y축의 방향으로 3만큼 평행이동한 점의 좌표를 구하여라.

정답 $(6, 4)$

기본문제 5-2   원 $x^2 + y^2 = 4$ 를 x축의 방향으로 1만큼, y축의 방향으로 2만큼 평행이동한 도형의 방정식을 구하시오.

정답 $(x-1)^2 + (y-2)^2 = 4$

유형 06   도형의 대칭이동

(1) 점의 대칭이동

     ① x축에 대한 대칭이동 $(x,\ y) \rightarrow (x,\ -y) \Rightarrow y$의 부호가 바뀐다.

     ② y축에 대한 대칭이동 $(x,\ y) \rightarrow (-x,\ y) \Rightarrow x$의 부호가 바뀐다.

     ③ 원점에 대한 대칭이동 $(x,\ y) \rightarrow (-x,\ -y) \Rightarrow x,\ y$의 부호가 바뀐다.

     ④ $y = x$에 대한 대칭이동 $(x,\ y) \rightarrow (y,\ x) \Rightarrow x,\ y$의 자리를 바꾼다.

기본문제 6-1 점 $(1, \; -3)$을 x축에 대해 대칭이동한 점의 좌표는?

정답 $(1, \; 3)$

기본문제 6-2 점 $(-4, \; -3)$을 원점에 대하여 대칭이동한 점의 좌표는?

정답 $(4, \; 3)$

기본문제 6-3 $P(2, \; 5)$를 $y = x$에 대해 대칭이동한 점을 Q라 할 때, Q의 좌표는?

정답 $(5, \; 2)$

기본문제 6-4 $P(2, \; 3)$을 y축에 대해 대칭이동한 점을 Q라 할 때, $\overline{PQ}$ 의 길이는?

정답 4

9. 점과 직선

1. 좌표평면에서 두 점 $A(1, 2)$, $B(3, 5)$ 사이의 거리는?

① 1   ② $\sqrt{11}$

③ $\sqrt{5}$ ④ $\sqrt{13}$

2. 좌표평면 위의 두 점 $A(2, 3)$, $B(5, 6)$에 대하여 선분 AB의 길이는?

① $3\sqrt{2}$ ② $2\sqrt{5}$

③ $5\sqrt{2}$ ④ 9

3. 다음 두 점 $A(-2, 3)$, $B(3, -1)$에 대하여 두 점 사이의 거리를 구하면?

① $\sqrt{21}$ ② 5

③ $\sqrt{31}$ ④ $\sqrt{41}$

4. 좌표평면에서 두 점 $A(-1, -2)$, $B(4, 10)$ 사이의 거리는?

① 1   ② 3

③ 17   ④ 13

5. 좌표평면 위의 두 점 $A(-1, 4)$, $B(2, 1)$에 대하여 선분 AB의 길이는?

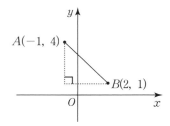

① $2\sqrt{2}$

② 4

③ $3\sqrt{2}$

④ 5

6. 좌표평면 위의 두 점 $A(2, 4)$, $B(6, 8)$에 대하여 선분 AB의 중점의 좌표는?

① $(4, 6)$ ② $(-2, -3)$
③ $(4, 4)$ ④ $(1, 2)$

7. 두 점 $A(1, 1)$, $B(1, 3)$을 이은 선분 AB의 중점의 좌표는?

① $(1, 2)$ ② $(1, 3)$
③ $(2, 2)$ ④ $(2, 4)$

8. 좌표평면 위의 두 점 $A(-1, -4)$, $B(-3, -2)$에 대하여 선분 AB의 중점의 좌표는?

① $(4, 6)$ ② $(-2, -3)$
③ $(-4, -6)$ ④ $(1, 2)$

9. 두 점 $A(4, -1)$, $B(1, 5)$를 이은 선분 AB의 중점의 좌표는?

① $(5, 4)$ ② $(1, 3)$
③ $\left(\dfrac{5}{2}, 2\right)$ ④ $(2, 3)$

10. 좌표평면 위의 두 점 $A(3, 1)$, $B(9, 9)$에 대하여 선분 AB의 중점 M의 좌표는?

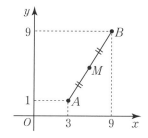

① $(2, 3)$
② $(3, 5)$
③ $(6, 5)$
④ $(5, 3)$

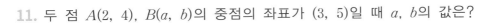

11. 두 점 $A(2, 4)$, $B(a, b)$의 중점의 좌표가 $(3, 5)$일 때 a, b의 값은?

① $a = 1$, $b = 1$ ② $a = 3$, $b = 5$

③ $a = 4$, $b = 6$ ④ $a = 4$, $b = 1$

12. 수직선 위의 두 점 $A(2)$, $B(10)$에 대하여 선분 AB를 3:1로 내분하는 점 $P(x)$의 좌표는?

① $P(5)$ ② $P(6)$

③ $P(7)$ ④ $P(8)$

13. 수직선 위의 두 점 $A(-4)$, $B(11)$에 대하여 선분 AB를 3:2로 내분하는 점 $P(x)$의 좌표는?

① $P(5)$ ② $P(6)$

③ $P(7)$ ④ $P(8)$

14. 수직선 위의 두 점 $A(1)$, $B(5)$에 대하여 선분 AB를 3:1로 외분하는 점 $P(x)$의 좌표는?

① $P(5)$ ② $P(6)$

③ $P(7)$ ④ $P(8)$

15. 수직선 위의 두 점 $A(4)$, $B(6)$에 대하여 선분 AB를 3:2로 외분하는 점 $P(x)$의 좌표는?

① $P(4)$ ② $P(6)$

③ $P(8)$ ④ $P(10)$

16. 좌표평면 위의 두 점 $A(4,\ 5)$, $B(9,\ 15)$에 대하여 선분 AB를 3:2로 내분하는 점의 좌표는?

① $(8,\ 12)$ ② $(5,\ 14)$
③ $(7,\ 11)$ ④ $(2,\ 1)$

17. 좌표평면 위의 두 점 $A(-1,\ 3)$, $B(7,\ 7)$에 대하여 선분 AB를 1:3으로 내분하는 점의 좌표는?

① $(0,\ 0)$ ② $(5,\ 5)$
③ $(2,\ 1)$ ④ $(1,\ 4)$

18. 좌표평면 위의 두 점 $A(1,\ 4)$, $B(3,\ 7)$에 대하여 선분 AB를 2:1로 외분하는 점의 좌표는?

① $(5,\ 10)$ ② $(1,\ 3)$
③ $(2,\ 6)$ ④ $(4,\ 4)$

19. 좌표평면 위의 두 점 $A(5,\ 2)$, $B(8,\ 3)$에 대하여 선분 AB를 3:2로 외분하는 점의 좌표는?

① $(8,\ 12)$ ② $(14,\ 5)$
③ $(7,\ 11)$ ④ $(2,\ 1)$

20. 두 점 $A(8,\ -4)$, $B(3,\ 1)$을 이은 선분 AB를 2:3으로 내분하는 점 P와 외분하는 점 Q에 대하여 선분 PQ의 중점의 좌표는?

① $(-11,\ 4)$ ② $(-10,\ -6)$
③ $(10,\ 6)$ ④ $(12,\ -8)$

10. 직선의 방정식

1. 직선 $y = 4x + 1$에 대한 설명으로 옳은 것은?

   ① 기울기는 1이다.

   ② y절편은 $-\dfrac{1}{4}$이다.

   ③ x절편은 4이다.

   ④ 점 $(1,\ 5)$를 지난다.

2. 직선 $y = -2x + 8$에 대한 설명으로 옳지 <u>않은</u> 것은?

   ① 기울기는 -2이다.

   ② y절편은 8이다.

   ③ x절편은 4이다.

   ④ 점 $(2,\ 5)$를 지난다.

3. 기울기가 -2이고, y절편이 3인 직선의 방정식은?

   ① $y = -2x + 1$

   ② $y = 2x + 5$

   ③ $y = -2x + 3$

   ④ $y = -2x + 5$

4. 기울기가 2이고, $(1,\ 4)$를 지나는 직선의 방정식은?

   ① $y = x + 1$

   ② $y = x + 5$

   ③ $y = 2x + 3$

   ④ $y = 2x + 2$

5. 두 점 $(2,\ 1)$과 $(4,\ 7)$을 지나는 직선의 기울기는?

   ① -3

   ② -2

   ③ 3

   ④ 2

6. 두 점 (1, 3)과 (2, 5)를 지나는 직선의 방정식은?

　① $y = -2x + 1$　　　　　② $y = 2x + 1$

　③ $y = -2x + 3$　　　　　④ $y = 2x + 5$

7. 두 점 (3, 8), (1, 6)을 지나는 직선의 방정식은?

　① $y = 2x + 2$　　　　　② $y = x + 5$

　③ $y = 2x + 4$　　　　　④ $y = x + 4$

8. x절편이 3이고, y절편이 3인 직선의 방정식은?

　① $y = -x + 1$　　　　　② $y = 3x + 3$

　③ $y = -x + 3$　　　　　④ $y = -3x + 3$

9. 다음 그래프는 일차함수 $y = ax + b$를 나타낸 것이다. 이 때, a, b의 부호로 옳은 것은?

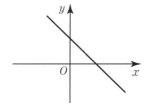

　① $a > 0$, $b > 0$

　② $a < 0$, $b > 0$

　③ $a > 0$, $b < 0$

　④ $a < 0$, $b < 0$

10. 다음 그래프는 일차함수 $y = ax + b$를 나타낸 것이다. 이 때, a, b의 부호로 옳은 것은?

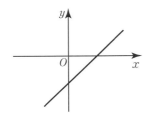

① $a > 0, \ b > 0$
② $a < 0, \ b > 0$
③ $a > 0, \ b < 0$
④ $a < 0, \ b < 0$

11. 다음 그래프의 직선의 방정식은?

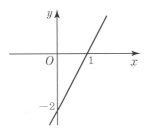

① $y = x + 2$
② $y = x + 1$
③ $y = -x - 2$
④ $y = 2x - 2$

12. 다음 그래프의 직선의 방정식은?

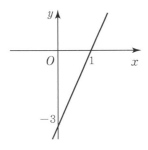

① $y = x - 3$
② $y = 3x - 3$
③ $y = -x - 3$
④ $y = -3x - 3$

13. 다음 그래프의 방정식으로 옳은 것은?

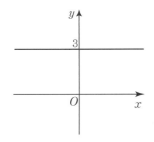

① $y = 3$
② $y = -3$
③ $x = 3$
④ $x = -3$

14. $y = -2x + 5$와 평행한 직선의 방정식은?

① $y = -2x + 3$　　　　　　② $y = 2x + 1$

③ $y = -3x + 2$　　　　　　④ $y = -\dfrac{1}{2}x + 1$

15. $y = 3x - 3$과 평행하며, $(0, 2)$를 지나는 직선은?

① $y = 3x + 2$　　　　　　② $y = 3x + 1$

③ $y = -3x + 2$　　　　　　④ $y = -\dfrac{1}{3}x + 2$

16. $y = 2x - 3$과 평행하며, $(1, 5)$를 지나는 직선은?

① $y = -2x + 2$　　　　　　② $y = 2x + 5$

③ $y = 2x + 3$　　　　　　④ $y = -\dfrac{1}{2}x + 5$

17. $y = -\dfrac{1}{3}x + 2$와 수직인 직선의 방정식은?

① $y = \dfrac{1}{3}x + 1$　　　　　　② $y = -3x + 5$

③ $y = 3x + 3$　　　　　　④ $y = -\dfrac{1}{3}x - 1$

18. $y = -2x + 2$와 수직이며, $(0, 3)$을 지나는 직선의 방정식은?

① $y = 2x + 1$　　　　　　② $y = \dfrac{1}{2}x + 2$

③ $y = \dfrac{1}{2}x + 3$　　　　　　④ $y = -2x - 1$

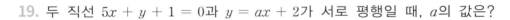

19. 두 직선 $5x + y + 1 = 0$과 $y = ax + 2$가 서로 평행일 때, a의 값은?

① -4 ② 4

③ 5 ④ -5

20. 두 직선 $4x + y + 1 = 0$과 $y = ax + 1$이 서로 수직일 때, a의 값은?

① -4 ② $\dfrac{1}{4}$

③ 4 ④ $-\dfrac{1}{4}$

11. 원의 방정식

1. 원점을 중심으로 하고, 반지름의 길이가 1인 원의 방정식은?

① $x^2 + y^2 = 1$ ② $x^2 + y^2 = 2$

③ $x^2 + y^2 = 3$ ④ $x^2 + y^2 = 4$

2. 원점을 중심으로 하고, 반지름의 길이가 2인 원의 방정식은?

① $x^2 + y^2 = 1$ ② $x^2 + y^2 = 2$

③ $x^2 + y^2 = 3$ ④ $x^2 + y^2 = 4$

3. 중심이 (2, 3)이고, 반지름의 길이가 4인 원의 방정식은?

① $(x - 2)^2 + (y - 3)^2 = 16$ ② $(x + 2)^2 + (y + 3)^2 = 16$

③ $(x - 2)^2 + (y - 3)^2 = 4$ ④ $(x + 2)^2 + (y + 3)^2 = 4$

4. 중심이 (2, −5)이고, 반지름의 길이가 3인 원의 방정식은?

① $(x - 2)^2 + (y + 5)^2 = 6$ ② $(x + 2)^2 + (y - 5)^2 = 6$

③ $(x - 2)^2 + (y + 5)^2 = 9$ ④ $(x + 2)^2 + (y - 5)^2 = 9$

5. 원 $(x - 3)^2 + (y - 1)^2 = 36$의 중심과 반지름은?

① 중심 (3, 1), 반지름 36

② 중심 (3, 1), 반지름 6

③ 중심 (−3, −1), 반지름 36

④ 중심 (−3, −1), 반지름 6

6. 원 $(x + 1)^2 + (y + 2)^2 = 9$의 중심과 반지름은?

　① 중심 $(-1, -2)$, 반지름 9

　② 중심 $(-1, -2)$, 반지름 3

　③ 중심 $(1, 2)$, 반지름 9

　④ 중심 $(1, 2)$, 반지름 3

7. 원 $(x + 2)^2 + (y - 3)^2 = 10$의 중심과 반지름은?

　① 중심 $(3, 1)$, 반지름 10

　② 중심 $(2, -3)$, 반지름 5

　③ 중심 $(-2, 3)$, 반지름 5

　④ 중심 $(-2, 3)$, 반지름 $\sqrt{10}$

8. $x^2 + y^2 + 2x + 4y + 1 = 0$의 중심과 반지름은?

　① 중심 $(-2, -4)$, 반지름 1

　② 중심 $(1, 2)$, 반지름 2

　③ 중심 $(-1, -2)$, 반지름 2

　④ 중심 $(1, 2)$, 반지름 1

9. $x^2 + y^2 + 6x + 4y + 12 = 0$의 중심과 반지름은?

　① 중심 $(-3, -2)$, 반지름 1

　② 중심 $(3, 2)$, 반지름 4

　③ 중심 $(-6, -4)$, 반지름 1

　④ 중심 $(1, 2)$, 반지름 4

10. $x^2 + y^2 - 4x - 2y + 1 = 0$의 중심과 반지름은?

① 중심 $(-2, -4)$, 반지름 1

② 중심 $(2, 1)$, 반지름 2

③ 중심 $(-1, -2)$, 반지름 2

④ 중심 $(2, 1)$, 반지름 1

11. $x^2 + y^2 - 6x + 8y - 11 = 0$의 중심을 (a, b), 반지름의 길이를 r이라 할 때, $a + b + r$의 값은?

① 4   ② 5

③ 6   ④ 7

12. 중심이 $(3, 4)$이고, x축에 접하는 원의 반지름은?

① 1   ② 2

③ 3   ④ 4

13. 중심이 $(3, -2)$이고, x축에 접하는 원의 방정식은?

① $(x + 3)^2 + (y - 2)^2 = 9$

② $(x - 3)^2 + (y + 2)^2 = 9$

③ $(x + 3)^2 + (y - 2)^2 = 4$

④ $(x - 3)^2 + (y + 2)^2 = 4$

14. 중심이 $(3, -4)$이고, y축에 접하는 원의 방정식은?

① $(x - 3)^2 + (y + 4)^2 = 9$

② $(x + 3)^2 + (y - 4)^2 = 9$

③ $(x - 3)^2 + (y + 4)^2 = 16$

④ $(x + 3)^2 + (y - 4)^2 = 16$

15. 오른쪽 그림과 같이 중심이 $C(2, 3)$이고, y축에 접하는 원의 방정식을 구하면?

① $(x + 2)^2 + (y + 3)^2 = 9$
② $(x + 2)^2 + (y + 3)^2 = 4$
③ $(x - 2)^2 + (y - 3)^2 = 9$
④ $(x - 2)^2 + (y - 3)^2 = 4$

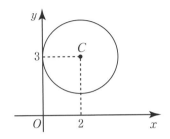

16. 중심이 $(-1, -3)$이고, 원점을 지나는 원의 방정식은?

① $(x + 1)^2 + (y + 3)^2 = 3$
② $(x - 1)^2 + (y - 3)^2 = 3$
③ $(x - 1)^2 + (y - 3)^2 = 9$
④ $(x + 1)^2 + (y + 3)^2 = 10$

17. 중심이 $(4, 3)$이고, 원점을 지나는 원의 방정식은?

① $(x - 3)^2 + (y - 4)^2 = 25$
② $(x + 3)^2 + (y + 4)^2 = 25$
③ $(x - 4)^2 + (y - 3)^2 = 25$
④ $(x + 4)^2 + (y + 3)^2 = 25$

18. 중심이 $(-4, -1)$이고, $(1, 1)$을 지나는 원의 방정식은?

① $(x + 4)^2 + (y + 1)^2 = 29$
② $(x - 4)^2 + (y - 1)^2 = 17$
③ $(x - 4)^2 + (y - 1)^2 = 29$
④ $(x + 4)^2 + (y + 1)^2 = 17$

19. 두 점 $(1, 5)$, $(3, 9)$를 지름의 양 끝으로 하는 원의 방정식은?

① $(x-1)^2 + (y-5)^2 = 25$

② $(x+3)^2 + (y+9)^2 = 5$

③ $(x-2)^2 + (y-7)^2 = 5$

④ $(x+2)^2 + (y+7)^2 = 25$

20. 오른쪽 그림과 같이 두 점 $A(1, 1)$, $B(3, 3)$을 지름의 양 끝 점으로 하는 원의 방정식은?

① $(x-1)^2 + (y-1)^2 = 2$

② $(x-2)^2 + (y-2)^2 = 2$

③ $(x-3)^2 + (y-3)^2 = 2$

④ $(x+2)^2 + (y+2)^2 = 2$

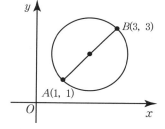

12. 도형의 이동

1. 점 $A(1,\ 2)$를 x축의 방향으로 -2만큼, y축의 방향으로 3만큼 평행이동한 점의 좌표는?

① $(-1,\ 5)$ ② $(-2,\ -3)$

③ $(3,\ 2)$ ④ $(3,\ 3)$

2. 좌표평면 위의 점 $(2,\ 2)$를 x축의 방향으로 5만큼, y축의 방향으로 3만큼 평행이동한 점 P'의 좌표는?

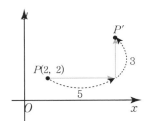

① $(7,\ 5)$

② $(2,\ -3)$

③ $(5,\ 5)$

④ $(6,\ 5)$

3. 좌표평면 위의 점 $(4,\ 3)$을 x축의 방향으로 1만큼, y축의 방향으로 2만큼 평행이동한 점의 좌표는?

① $(3,\ 5)$ ② $(3,\ 6)$

③ $(5,\ 5)$ ④ $(1,\ 5)$

4. 좌표평면 위의 점 $(-4,\ 0)$을 x축의 방향으로 5만큼, y축의 방향으로 2만큼 평행이동한 점의 좌표는?

① $(-6,\ -2)$ ② $(1,\ 5)$

③ $(2,\ 6)$ ④ $(1,\ 2)$

5. 점 $A(-2, -3)$을 x축의 방향으로 5만큼, y축의 방향으로 4만큼 평행이동한 점 B의 좌표는?

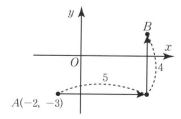

① $(1, \ 3)$

② $(3, \ 1)$

③ $(1, \ -3)$

④ $(3, \ -1)$

6. 원 $x^2 + y^2 = 6$을 x축의 방향으로 2만큼, y축의 방향으로 -5만큼 평행이동한 원의 방정식은?

① $(x + 2)^2 + (y - 5)^2 = 6$
② $(x - 2)^2 + (y + 5)^2 = 6$
③ $(x - 2)^2 + (y + 5)^2 = 9$
④ $(x + 2)^2 + (y - 5)^2 = 9$

7. 원 $x^2 + y^2 = 4$를 x축의 방향으로 1만큼, y축의 방향으로 2만큼 평행이동한 원의 방정식은?

① $(x - 1)^2 + (y + 2)^2 = 4$
② $(x + 1)^2 + (y + 2)^2 = 4$
③ $(x - 1)^2 + (y - 2)^2 = 4$
④ $(x + 2)^2 + (y + 1)^2 = 4$

8. 이차함수 $y = x^2$을 x축의 방향으로 3만큼, y축의 방향으로 1만큼 평행이동하면?

① $y = (x + 3)^2 + 1$
② $y = (x + 3)^2 - 1$
③ $y = (x - 3)^2 + 1$
④ $y = (x - 3)^2 - 1$

9. 이차함수 $y = x^2$을 x축의 방향으로 -1만큼, y축의 방향으로 2만큼 평행이동하면?

① $y = (x + 1)^2 + 2$

② $y = (x - 1)^2 - 2$

③ $y = (x - 1)^2 + 2$

④ $y = (x + 1)^2 - 2$

10. 이차함수 $y = 3x^2$을 x축의 방향으로 2만큼, y축의 방향으로 -3만큼 평행이동하면?

① $y = 3(x - 2)^2 + 3$

② $y = 3(x - 2)^2 - 3$

③ $y = 3(x - 1)^2 + 2$

④ $y = 3(x + 2)^2 + 3$

11. 점 $A(3, -2)$를 x축에 대하여 대칭이동한 점의 좌표는?

① $(2, -3)$ ② $(-2, -3)$

③ $(3, 2)$ ④ $(-3, -2)$

12. 점 $A(4, 3)$을 y축에 대하여 대칭이동한 점의 좌표는?

① $(3, 4)$ ② $(-2, -3)$

③ $(-4, 3)$ ④ $(4, -3)$

13. 점 $A(2, 3)$을 원점에 대하여 대칭이동한 점의 좌표는?

① $(2, -3)$ ② $(-2, -3)$

③ $(3, 2)$ ④ $(-3, -2)$

14. 점 $A(-2, 5)$를 $y = x$에 대하여 대칭이동한 점의 좌표는?

① $(2, 5)$ ② $(2, -5)$

③ $(5, -2)$ ④ $(-2, -5)$

15. 좌표평면 위의 점 $(5, 1)$을 x축에 대하여 대칭이동한 점의 좌표는?

① $(1, 5)$ ② $(5, -1)$

③ $(-5, -1)$ ④ $(-5, 1)$

16. 좌표평면 위의 점 $(2, 4)$를 y축에 대하여 대칭이동한 점의 좌표는?

① $(-2, 4)$ ② $(2, -4)$

③ $(4, 2)$ ④ $(-2, -4)$

17. 좌표평면 위의 점 $(5, -4)$를 원점에 대하여 대칭이동한 점의 좌표는?

① $(5, 4)$ ② $(-4, 5)$

③ $(-5, -4)$ ④ $(-5, 4)$

18. 좌표평면 위의 점 $(2, 4)$를 직선 $y = x$에 대하여 대칭이동한 점의 좌표는?

① $(-2, 4)$ ② $(2, -4)$

③ $(4, 2)$ ④ $(-2, -4)$

19. 좌표평면 위의 점 $(2,\ 1)$을 y축에 대하여 대칭이동한 후, 다시 직선 $y = x$에 대하여 대칭이동한 점의 좌표는?

① $(1,\ -2)$ ② $(1,\ 2)$

③ $(-2,\ 1)$ ④ $(2,\ 1)$

20. $(x-2)^2 + (y-1)^2 = 1$을 x축에 대하여 대칭이동한 원의 방정식은?

① $(x-2)^2 + (y+1)^2 = 1$
② $(x+2)^2 + (y-1)^2 = 1$
③ $(x+2)^2 + (y+1)^2 = 1$
④ $(x-1)^2 + (y-2)^2 = 1$

04

04. 집합과 명제

유형 01   집합의 정의

집합 : 어떤 조건에 의해서 명확하게 구분되는 것들의 모임

   ① 원소 : 조건에 의하여 집합 안에 들어가는 것

   ② 부분집합 : B의 모든 원소가 집합 A에 속할 때,

            B는 A의 부분집합이라 한다.

     · a는 집합 A의 원소이다. $\Leftrightarrow$ $a \in A$

     · B는 집합 A의 부분집합이다. $\Leftrightarrow B \subset A$

   ③ A의 원소의 개수 : $n(A)$로 나타낸다.

기본문제 1-1 $A = \{x \mid x$는 10의 약수$\}$ 에 대하여 다음 중 옳지 <u>않은</u> 것은?

    ① $1 \in A$ ② $5 \in A$

    ③ $6 \in A$ ④ $7 \notin A$

정답   ③

기본문제 1-2   집합 $A = \{0, \ 1, \ 2\}$의 모든 부분집합을 구하여라.

정답 $\varnothing, \{0\}, \{1\}, \{2\}, \{0, 1\}, \{0, 2\}, \{1, 2\}, \{0, 1, 2\}$

기본문제 1-3 $A = \{x \mid x$는 4미만의 자연수$\}$의 부분집합이 <u>아닌</u> 것은?

① $\varnothing$ ② $\{2, \ 4\}$

③ $\{1, \ 2\}$ ④ $\{1, \ 2, \ 3\}$

정답   ②

유형 02   집합의 연산

(1) $A \cup B$ (합집합)

　: A 또는 B에 있는 모든 원소

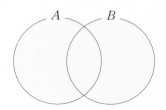

(2) $A \cap B$ (교집합)

　: A, B에 겹치는(중복) 원소

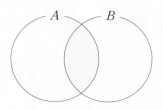

(3) $A - B$ (차집합)

　: A에서 B를 지운 나머지

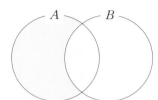

(4) A^c (여집합)

　: 전체집합에서 A를 지운 나머지

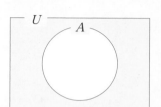

$U = \{1, 2, 3, 4, 5, 6, 7, 8\}$의 두 부분집합
$A = \{2, 4, 6, 8\}$, $B = \{1, 2, 3, 6\}$일 때, 다음 집합을 구하여라.

(1) $A \cup B$ (2) $A \cap B$

(3) $A - B$ (4) $B - A$

(5) A^c (6) B^c

(7) $(A \cup B)^c$ (8) $(A \cap B)^c$

정답   (1) $\{1, 2, 3, 4, 6, 8\}$ (2) $\{2, 6\}$ (3) $\{4, 8\}$
(4) $\{1, 3\}$ (5) $\{1, 3, 5, 7\}$ (6) $\{4, 5, 7, 8\}$
(7) $\{5, 7\}$ (8) $\{1, 3, 4, 5, 7, 8\}$

다음 중 오른쪽 벤 다이어그램의 색칠한 부분을 나타내는 집합은?

① $A - B$

② $B - A$

③ $A \cup B$

④ A^c

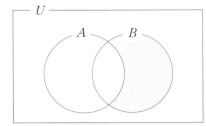

정답   ②

고등학교 졸업자격 검정고시 합격전략 시리즈

기본문제 2-3 두 집합 $A = \{2,\ 4,\ 6,\ 8\}$, $B = \{1,\ 3,\ 4\}$에 대하여 $n(A \cap B)$의 값은?

① 1　　　　　　　　　　　② 2

③ 3　　　　　　　　　　　④ 4

정답　①

기본문제 2-4 전체집합 $U = \{1,\ 2,\ 3,\ 4,\ 5\}$의 두 부분집합 $A = \{1,\ 2,\ 3\}$, $B = \{3,\ 4\}$에 대하여 집합 $(A \cup B)^c$은?

① $\{1,\ 2\}$　　　　　　　　② $\{5\}$

③ $\{3\}$　　　　　　　　　④ $\{1,\ 2,\ 3,\ 4\}$

정답　②

유형 03　명제

명제 : 참, 거짓을 명확하게 구분할 수 있는 식 또는 문장

기본문제 3-1 다음 중 명제인 것을 찾고, 명제인 것은 참, 거짓을 판별하여라.

(1) $2 + 3 < 1$ 이다.

(2) $x + 1 = 5$ 이다.

(3) $x = 3$이면 $2x = 6$이다.

(4) 수학은 어렵다.

정답　(1) 거짓 명제　(2) 명제가 아님 (조건)
　　　(3) 참인 명제　(4) 명제가 아님

4. 집합과 명제　109

(1) 명제의 역과 대우

    역 : 자리바꿈

    대우 : 자리바꿈 + 부정

※ 어떤 명제가 참이면 그 대우도 반드시 참이다.

기본문제 4-1 다음 □ 안에 알맞은 것을 써넣어라.

(1) 명제 $p \rightarrow q$의 역은 [　　] 이다.

(2) 명제 $p \rightarrow q$의 대우는 [　　] 이다.

[정답]　(1) $q \rightarrow p$　(2) $\sim q \rightarrow \sim p$

기본문제 4-2 다음 명제의 역, 대우를 구하여라.

(1) $x = 1$이면 $x^2 = 1$이다.

(2) $x > 2$이면 $x > 1$이다.

[정답]　(1) 역 : $x^2 = 1$이면 $x = 1$이다.
　　　　　　대우 : $x^2 \neq 1$이면 $x \neq 1$이다.
　　　　(2) 역 : $x > 1$이면 $x > 2$이다.
　　　　　　대우 : $x \leq 1$이면 $x \leq 2$이다.

기본문제 4-3   명제 $\sim p \rightarrow q$가 참일 때, 다음 중 항상 참인 명제는?

① $p \rightarrow q$ ② $q \rightarrow p$

③ $\sim q \rightarrow p$ ④ $\sim p \rightarrow \sim q$

정답   ③

유형 05   필요조건, 충분조건

두 조건 p, q의 진리집합을 각각 P, Q라 할 때

(1) $P \subset Q \Rightarrow p$가 q이기 위한 충분조건

(2) $P \supset Q \Rightarrow p$가 q이기 위한 필요조건

(3) $P = Q \Rightarrow p$가 q이기 위한 필요충분조건

기본문제 5-1   다음 □ 안에 알맞은 것을 써넣어라.

(1) 'x가 2의 약수'는 'x가 4의 약수'이기 위한 ☐ 조건이다.

(2) $x^2 = 4$는 $x=2$이기 위한 ☐ 조건이다.

(3) $x^2 = 0$은 $x=0$이기 위한 ☐ 조건이다.

정답   (1) 충분   (2) 필요

           (3) 필요충분

13. 집합

1. 다음 주어진 모임 중 집합인 것은?

① 큰 수들의 모임

② 예쁜 꽃들의 모임

③ 0에 가까운 수들의 모임

④ 5보다 작은 자연수들의 모임

2. 집합 $A = \{x | x$는 8의 약수$\}$에 대하여 다음 중 옳지 <u>않은</u> 것은?

① $2 \in A$ ② $1 \in A$

③ $0 \in A$ ④ $4 \in A$

3. 집합 $A = \{0,\ 1,\ 2\}$의 부분집합이 <u>아닌</u> 것은?

① $\varnothing$ ② $\{0,\ 1\}$

③ $\{1,\ 3\}$ ④ $\{0\}$

4. 집합 $A = \{0,\ 2,\ 4,\ 6\}$에 대하여 다음 중 옳은 것은?

① $\{3\} \subset A$ ② $\{2,\ 6\} \subset A$

③ $\{2\} \in A$ ④ $0 \subset A$

5. 집합 $A = \{x | x$는 6의 약수$\}$의 부분집합을 〈보기〉에서 모두 고른 것은?

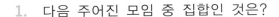

〈보기〉
ㄱ. $\varnothing$ ㄴ. $\{1,\ 3\}$ ㄷ. $\{2,\ 5\}$

① ㄱ, ㄴ ② ㄱ, ㄷ

③ ㄴ, ㄷ ④ ㄱ, ㄴ, ㄷ

6. 집합 $A = \{x|x$는 9의 약수$\}$의 부분집합의 개수는?

① 2개   ② 3개

③ 8개   ④ 16개

7. 집합 $A = \{1,\ 3,\ 5\}$, $B = \{1,\ 2,\ 4\}$일 때, $A \cup B$의 원소의 개수는?

① 2개   ② 3개

③ 4개   ④ 5개

8. 집합 $A = \{x|x$는 5이하의 소수$\}$, $B = \{1,\ 3,\ 5\}$에 대하여 $A \cup B$를 구하면?

① $\{1\}$ ② $\{3,\ 5\}$

③ $\{2,\ 3,\ 5\}$ ④ $\{1,\ 2,\ 3,\ 5\}$

9. 집합 $A = \{1,\ 2,\ 3,\ 4,\ 5\}$, $B = \{2,\ 4,\ 6\}$에 대하여 $A \cap B$를 구하면?

① $\{3\}$ ② $\{1,\ 2\}$

③ $\{3,\ 5\}$ ④ $\{2,\ 4\}$

10. 전체집합 $U = \{1,\ 2,\ 3,\ 4,\ 5\}$의 부분집합 $A = \{1,\ 3,\ 5\}$에 대하여 A^c을 구하면?

① $\{1,\ 3\}$ ② $\{2,\ 4\}$

③ $\{3,\ 5\}$ ④ $\{4,\ 5\}$

11. 전체집합 $U = \{1,\ 3,\ 5,\ 7,\ 9\}$의 두 부분집합 A, B에 대하여 $A = \{1,\ 5\}$, $B = \{3,\ 5,\ 7\}$일 때, B^c은?

① $\{1,\ 9\}$ ② $\{5\}$

③ $\{2,\ 3,\ 5\}$ ④ $\{1,\ 3,\ 5,\ 7\}$

12. 집합 $A = \{2,\ 3,\ 5,\ 7\}$, $B = \{1,\ 2,\ 4\}$일 때, $A - B$는?

① $\varnothing$ ② $\{2\}$

③ $\{3,\ 5,\ 7\}$ ④ $\{2,\ 5,\ 7\}$

13. 집합 A, B에 대하여 $A - B$와 같은 것은?

① A ② $B \cap A^c$

③ $A \cup B$ ④ $A \cap B^c$

14. 전체집합 $U = \{1,\ 2,\ 3,\ 4,\ 5,\ 6\}$의 두 부분집합 A, B가 $A = \{x \mid x$는 6의 약수$\}$, $B = \{3,\ 4,\ 5,\ 6\}$ 일 때, $A \cap B^c$은?

① $\{1\}$ ② $\{3\}$

③ $\{1,\ 2\}$ ④ $\{2,\ 3\}$

15. 두 집합 $A = \{2,\ 4,\ 5\}$, $B = \{1,\ 3,\ 5,\ 7\}$에 대하여 다음 중 옳은 것은?

① $A \cap B = \{1,\ 2,\ 3,\ 4,\ 5,\ 7\}$ ② $A \cup B = \{5\}$

③ $A - B = \{2,\ 4\}$ ④ $B - A = \{2,\ 3\}$

16. 벤 다이어그램의 색칠된 부분을 나타내는 집합은? (단, A^c은 A의 여집합이다.)

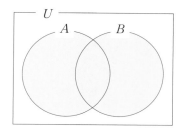

① $A \cup B$
② $A \cap B$
③ $A \cap B^c$
④ A^c

17. 벤 다이어그램의 색칠된 부분을 나타내는 집합은? (단, A^c은 A의 여집합이다.)

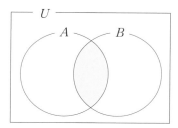

① $A \cup B$
② $A \cap B$
③ $A \cap B^c$
④ A^c

18. $A = \{x \,|\, x$는 $5 \le x < 10$인 자연수$\}$일 때, $n(A)$는?

① 2 ② 3
③ 5 ④ 6

19. $n(A) = 12$, $n(B) = 8$, $n(A \cap B) = 5$일 때, $n(A \cup B)$는?

① 5 ② 10
③ 15 ④ 20

20. $n(A) = 5$, $n(B) = 5$, $n(A \cup B) = 6$일 때, $n(A \cap B)$는?

① 1 ② 2
③ 3 ④ 4

14. 명제

1. 다음 중 명제가 <u>아닌</u> 것은?

   ① $5 + 2 = 6$이다.

   ② $x + 1 > 4$이다.

   ③ $x = 3$이면 $x^2 = 6$이다.

   ④ 2는 소수이다.

2. 다음 중 명제인 것은?

   ① $x + 1 = 5$이다.

   ② 수학은 어려운 과목이다.

   ③ $3 + 1 > 2$이다.

   ④ $x - 2 < 5$

3. 다음 중 명제가 <u>아닌</u> 것은?

   ① 한국의 수도는 서울이다.

   ② $\sqrt{4}$ 는 무리수이다.

   ③ 백두산은 한라산보다 높다.

   ④ $2x + 1 = 3$

4. 다음 중 참인 명제는?

   ① 8은 홀수이다.

   ② 9는 3의 약수이다.

   ③ $x = 1$이면 $x^2 = 1$이다.

   ④ $x + 1 > 0$이다.

5. 다음 명제 중 참인 명제는?

① $x^2 = 9$이면 $x = 3$이다.

② x가 9의 약수이면 x는 3의 약수이다.

③ 2는 무리수이다.

④ x가 4의 배수이면 x는 2의 배수이다.

6. 명제 '$\sim q \to p$'의 역은?

① $p \to \sim q$

② $\sim p \to q$

③ $\sim q \to p$

④ $q \to \sim p$

7. 명제 '$\sim q \to p$'의 대우는?

① $p \to \sim q$

② $\sim p \to q$

③ $\sim q \to p$

④ $q \to \sim p$

8. 명제 '$a = b$이면 $|a| = |b|$이다.'의 역은?

① $|a| \neq |b|$이면 $a \neq b$이다.

② $a \neq b$이면 $|a| \neq |b|$이다.

③ $|a| = |b|$이면 $a = b$이다.

④ $|a| \neq |b|$이면 $a = b$이다.

9. 명제 '$ab = 0$이면 $a = 0$ 또는 $b = 0$ 이다.'의 역은?

① $ab = 0$이면 $a = 0$ 또는 $b = 0$ 이다.

② $ab \neq 0$이면 $a \neq 0$ 이고 $b \neq 0$ 이다.

③ $a = 0$ 또는 $b = 0$이면 $ab = 0$ 이다.

④ $a \neq 0$ 또는 $b \neq 0$이면 $ab \neq 0$ 이다.

10. 명제 '$x = 1$이면 $x^2 = 1$이다.'의 대우는?

① $x^2 = 1$이면 $x = 1$이다.

② $x \neq 1$이면 $x^2 \neq 1$이다.

③ $x = 1$이면 $x^2 \neq 1$이다.

④ $x^2 \neq 1$이면 $x \neq 1$이다.

11. 명제 '$p \rightarrow q$'가 참일 때, 반드시 참인 명제는?

① $p \rightarrow \sim q$ ② $\sim p \rightarrow q$

③ $\sim q \rightarrow \sim p$ ④ $q \rightarrow \sim p$

12. 명제 '$x = 3$이면 $x^2 = 9$이다.'에 대하여 다음 중 옳은 것은?

① 역 : $x^2 = 9$이면 $x = 3$이다.

② 역 : $x \neq 3$이면 $x^2 \neq 9$이다.

③ 대우 : $x^2 = 9$이면 $x \neq 3$이다.

④ 대우 : $x \neq 3$이면 $x^2 \neq 9$이다.

13. 명제 '$a > 0$이면 $b > 0$이다.'가 참일 때, 다음 중 항상 참인 것은?

① $b > 0$이면 $a > 0$이다.

② $a < 0$이면 $b < 0$이다.

③ $b \leq 0$이면 $a \leq 0$이다.

④ $a \leq 0$이면 $b \leq 0$이다.

14. 명제 $\sim p \rightarrow \sim q$가 참이 아닐 때, 다음 중 반드시 참이 <u>아닌</u> 것은?

① $p \rightarrow q$　　　　　　　　　② $q \rightarrow p$
③ $\sim q \rightarrow \sim p$　　　　　　　④ $\sim p \rightarrow q$

15. $x = 1$은 $x^2 = 1$이기 위한 무슨 조건인가?

① 필요조건　　　　　　　　② 충분조건
③ 필요충분조건　　　　　　④ 아무 조건도 아니다.

16. 두 조건 p, q가 다음과 같을 때, p는 q이기 위한 무슨 조건인가?

p : 2의 약수이다.　　　q : 4의 약수이다.

① 필요조건　　　　　　　　② 충분조건
③ 필요충분조건　　　　　　④ 부정

17. $x^2 = 9$는 $x = 3$이기 위한 무슨 조건인가?

① 필요조건　　　　　　　　② 충분조건
③ 필요충분조건　　　　　　④ 아무 조건도 아니다.

18. 다음 ☐ 안에 들어갈 가장 알맞은 말은?

$0 \leq x \leq 5$ 는 $1 \leq x \leq 3$이기 위한 ☐ 조건이다.

① 필요　　　　　　　　　　② 충분
③ 필요충분　　　　　　　　④ 아무조건도 아님

19. 실수 a, b에 대하여 $a^2 + b^2 = 0$은 $a = b = 0$이기 위한 무슨 조건인가?

   ① 필요조건   ② 충분조건

   ③ 필요충분조건   ④ 아무 조건도 아니다.

20. $|x| = 2$는 $x^2 = 4$이기 위한 무슨 조건인가?

   ① 필요조건   ② 충분조건

   ③ 필요충분조건   ④ 부정

05. 함수

유형 01 함수의 정의

함수 : X의 각 원소에 Y의

원소가 오직 하나씩만 대응

① 정의역 : 집합 X

② 공역 : 집합 Y

③ 치역 : 함숫값 전체의 집합

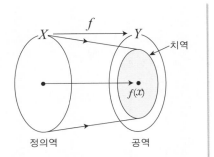

기본문제 1-1 다음 중 함수인 것을 찾고, 정의역, 공역, 치역을 구하여라.

(1)

(2)

(3)

(4)

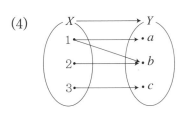

정답 (1) 함수이다. 정의역 : $\{1, 2, 3\}$, 공역 : $\{a, b, c\}$, 치역 : $\{a, c\}$

(2) 함수이다. 정의역 : $\{1, 2, 3\}$, 공역 : $\{a, b, c\}$, 치역 : $\{a, b\}$

(3) 함수가 아니다.

(4) 함수가 아니다.

기본문제 1-2 다음 대응표를 보고 $f(1) + f(3)$ 을 구하여라.

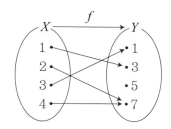

정답 4

기본문제 1-3 함수 $f(x) = 3x + 4$ 에 대하여 $f(2)$ 를 구하여라.

정답 10

유형 02 합성함수와 역함수

(1) 합성함수

두 함수 f, g에서 $(f \circ g)(a)$의 값 구하기

$\Rightarrow (f \circ g)(a) = f(g(a))$이다. 따라서 $g(a)$의 값을 구하여 $f(x)$의 x에 대입한다.

(2) 역함수

함수 f의 역함수가 f^{-1}일 때

$\Rightarrow f(a) = b \Leftrightarrow f^{-1}(b) = a$

기본문제 2-1 두 함수 $f(x) = 3x - 1$, $g(x) = x + 1$ 에 대하여 $(f \circ g)(4)$ 의 값을 구하여라.

정답 14

기본문제 2-2 두 함수 $f(x) = 2x + 1$, $g(x) = x^2 - 2$ 에 대하여 $(g \circ f)(2)$ 의 값을 구하여라.

정답 23

기본문제 2-3 다음 대응표를 보고 $f(3) + f^{-1}(4)$ 를 구하여라.

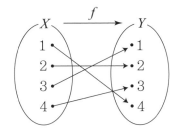

정답 2

기본문제 2-4   함수 $f(x) = 2x + 1$ 에 대하여 $f^{-1}(5)$ 를 구하여라.

정답   2

유형 03   유리함수

유리함수 $y = \dfrac{k}{x - p} + q$ 의 그래프

(1) $y = \dfrac{k}{x}$ 의 그래프를 x축의 방향으로 p만큼, y축의 방향으로 q만큼 평행이동한 것이다.

(2) 정의역 : $\{x \,|\, x \neq p$인 실수$\}$, 치역 : $\{y \,|\, y \neq q$인 실수$\}$

(3) 점근선의 방정식 : $x = p$, $y = q$

(4) 점 $(p, \, q)$에 대하여 대칭이다.

기본문제 3-1   함수 $\dfrac{1}{x}$ 의 그래프를 x축의 방향으로 -1만큼, y축의 방향으로 3만큼 평행이동한 그래프의 방정식을 구하여라.

정답 $y = \dfrac{1}{x + 1} + 3$

기본문제 3-2 함수 $y = \dfrac{2}{x-p} + q$의 그래프가 다음 그림과 같을 때, 두 상수 p, q에 대하여 $p + q$의 값을 구하여라.

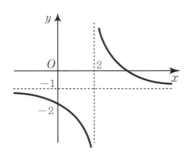

정답 1

기본문제 3-3 유리함수 $y = \dfrac{a}{x+1} - 3$의 그래프가 원점을 지날 때, 상수 a의 값을 구하여라.

정답 3

유형 04 무리함수

무리함수 $y = \sqrt{a(x-p)} + q(a \neq 0)$의 그래프

(1) $y = \sqrt{ax}$의 그래프를 x축의 방향으로 p만큼, y축의 방향으로 q만큼 평행이동한 것이다.

(2) 정의역 : $a > 0$일 때 $\{x \mid x \geq p\}$, $a < 0$일 때 $\{x \mid x \leq p\}$

치역 : $\{y \mid y \geq q\}$

기본문제 4-1 함수 $y = \sqrt{x}$ 의 그래프를 x축의 방향으로 3만큼, y축의 방향으로 2만큼 평행이동한 그래프의 방정식을 구하여라.

정답 $y = \sqrt{x-3} + 2$

기본문제 4-2 함수 $y = \sqrt{x+p} + q$ 의 그래프가 다음 그림과 같을 때, 두 상수 p, q에 대하여 $p + q$의 값을 구하여라.

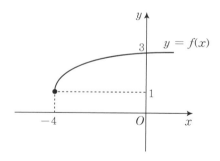

정답 5

기본문제 4-3 무리함수 $y = \sqrt{2x-1} + 1$의 그래프가 $(5,\ k)$를 지날 때, 상수 k의 값을 구하여라.

정답 4

15. 함수

1. 다음 중 함수인 것은?

①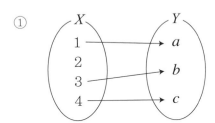

②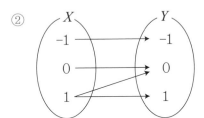

③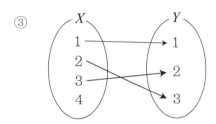

④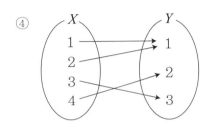

2. 다음 중 함수가 <u>아닌</u> 것은?

①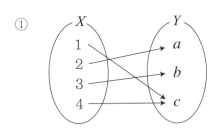

②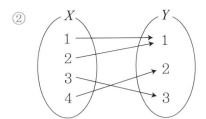

③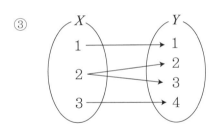

④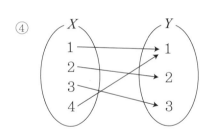

3. 다음 중 상수함수인 것은?

①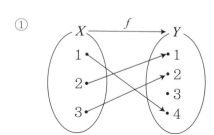

②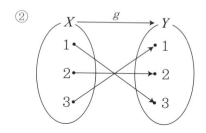

③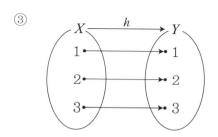

④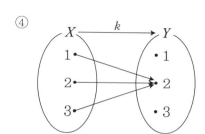

4. 다음 중 함수의 그래프인 것은?

①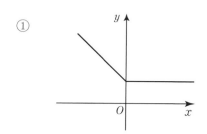

②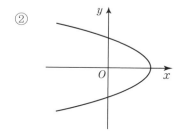

③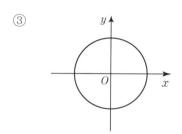

④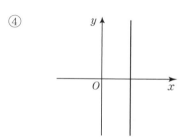

5. 다음 중 함수의 그래프가 <u>아닌</u> 것은?

①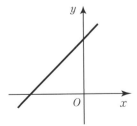

②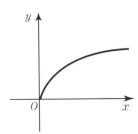

③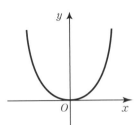

④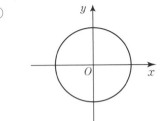

6. 두 함수 f, g에 대하여 $f(1) + g(3)$의 값은?

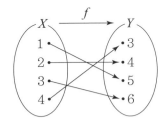 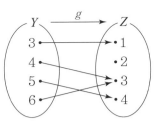

① 2   ② 4

③ 6   ④ 8

7. 함수 $f: X \to Y$ 에서 $f(a) = 7$일 때, a의 값은?

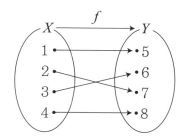

① 1
② 2
③ 3
④ 4

8. $f(x) = 2x + 3$에 대하여 $f(1)$의 값은?

① 5
② 1
③ −1
④ 2

9. $f(x) = 3x - 2$에 대하여 $f(2)$의 값은?

① 1
② 2
③ 3
④ 4

10. 두 함수 $f: X \to Y$, $g: Y \to Z$에 대하여 $(g \circ f)(3)$의 값은?

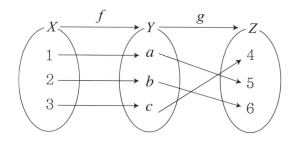

① 5
② 4
③ 6
④ c

11. 두 함수 $f : X \rightarrow Y$, $g : Y \rightarrow Z$가 다음과 같을 때, $(g \circ f)(1)$의 값은?

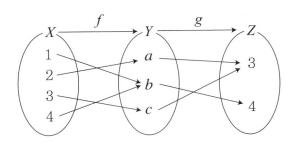

① 3

② 4

③ a

④ c

12. 두 함수 $f(x) = x + 2$, $g(x) = 5x - 3$일 때, $(f \circ g)(1)$의 값은?

① 4

② 3

③ -1

④ 2

13. 두 함수 $f(x) = -x + 7$, $g(x) = 2x - 1$일 때, $(f \circ g)(3)$의 값은?

① 5

② 3

③ -1

④ 2

14. 두 함수 $f(x) = 2x - 5$, $g(x) = -3x + 1$일 때, $(g \circ f)(2)$의 값은?

① 4

② 3

③ -1

④ 2

15. 두 함수 $f(x) = 2x - 3$, $g(x) = -x + 3$일 때, $(f \circ g)(1)$의 값은?

① 5

② 3

③ 1

④ 2

16. 함수 $f(x) = 2x + 3$일 때, $(f \circ f)(2)$의 값은?

① 17
② 3
③ 7
④ 8

17. 다음 그림에서 $f^{-1}(3) \times f(3)$의 값은?

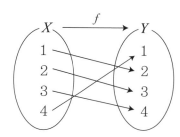

① 6
② 2
③ 12
④ 8

18. $f(x) = x + 3$에 대하여 $f^{-1}(6)$의 값은?

① 5
② 3
③ 9
④ 2

19. $f(x) = 2x + 3$에 대하여 $f^{-1}(5)$의 값은?

① 13
② 1
③ −1
④ 2

20. $f(x) = 3x - 2$일 때, $(f^{-1} \circ f)(2)$의 값은?

① 1
② 2
③ 3
④ 4

16. 유리함수 / 무리함수

1. 분수함수 $y = \dfrac{1}{x-1} + 2$의 점근선의 방정식은?

   ① $x = 1$, $y = 2$ ② $x = -1$, $y = 2$
   ③ $x = 1$, $y = -2$ ④ $x = -1$, $y = -2$

2. 분수함수 $y = \dfrac{-1}{x+1} + 2$의 점근선의 방정식은?

   ① $x = 1$, $y = 2$ ② $x = -1$, $y = 2$
   ③ $x = 1$, $y = -2$ ④ $x = -1$, $y = -2$

3. 분수함수 $y = \dfrac{-3}{x-1} + 4$의 점근선의 방정식은?

   ① $x = 1$, $y = 4$ ② $x = -1$, $y = 2$
   ③ $x = 1$, $y = -4$ ④ $x = -1$, $y = -4$

4. 분수함수 $y = \dfrac{3}{x+1} - 2$의 점근선의 방정식은?

   ① $x = 1$, $y = 2$ ② $x = -1$, $y = 2$
   ③ $x = 1$, $y = -2$ ④ $x = -1$, $y = -2$

5. 분수함수 $y = \dfrac{2x+1}{x-1}$의 점근선의 방정식은?

   ① $x = 1$, $y = 2$ ② $x = -1$, $y = 2$
   ③ $x = 1$, $y = -2$ ④ $x = -1$, $y = -2$

6. 분수함수 $y = \dfrac{-x+1}{x+2}$ 의 점근선의 방정식은?

① $x = 1,\ y = 2$
② $x = -3,\ y = 1$
③ $x = 2,\ y = -1$
④ $x = -2,\ y = -1$

7. 분수함수 $y = \dfrac{1}{x+2} + 1$의 개형은?

①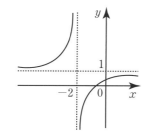

②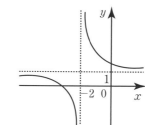

③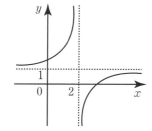

④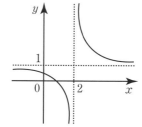

8. 다음 중 $y = \dfrac{-1}{x-1} - 2$의 그래프는?

①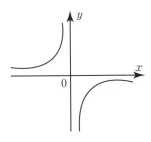

②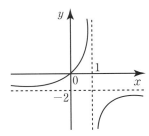

③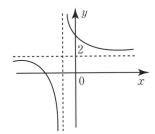

④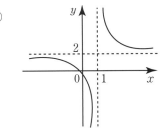

9. $y = \dfrac{1}{x}$ 이 다음과 같이 평행이동 하였을 때, 올바른 분수함수는?

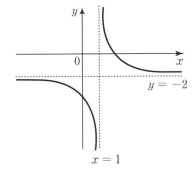

① $y = \dfrac{-1}{x-2} - 1$

② $y = \dfrac{1}{x-1} - 2$

③ $y = \dfrac{1}{x-2} - 1$

④ $y = \dfrac{1}{x+1} + 2$

10. 다음 중 $y = \sqrt{x}$ 의 그래프로 적당한 것은?

①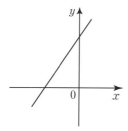

②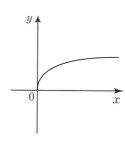

③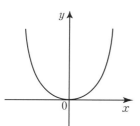

④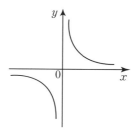

11. 다음 그림과 같은 그래프를 나타내는 무리함수는?

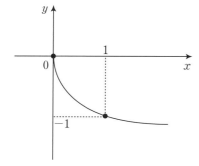

① $y = \sqrt{x}$

② $y = \sqrt{-x}$

③ $y = -\sqrt{x}$

④ $y = -\sqrt{-x}$

12. 다음 중 $y = \sqrt{x-1}$의 그래프인 것은?

①
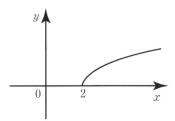

②
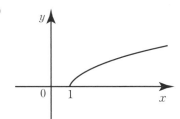

③
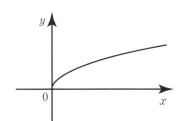

④
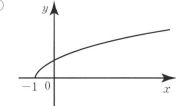

13. 다음 중 무리함수 $y = \sqrt{x+1} - 1$의 그래프는?

①
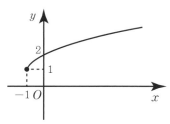

②
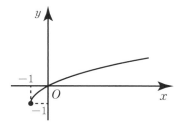

③
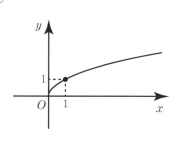

④
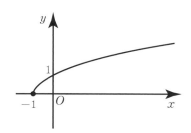

14. 다음 그림과 같은 그래프를 나타내는 무리함수는?

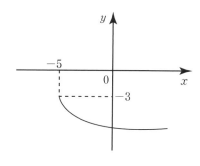

① $y = \sqrt{x+5} - 3$

② $y = \sqrt{x-5} - 3$

③ $y = -\sqrt{x+5} - 3$

④ $y = -\sqrt{x-5} - 3$

15. 다음 그래프를 나타내는 함수의 식은?

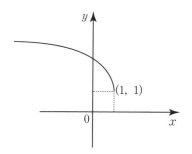

① $y = \sqrt{x+1} + 1$

② $y = \sqrt{x-1} + 1$

③ $y = \sqrt{-(x+1)} + 1$

④ $y = \sqrt{-(x-1)} + 1$

16. 무리함수 $y = -\sqrt{-(x-2)} - 2$의 그래프로 올바른 것은?

①
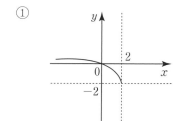

②
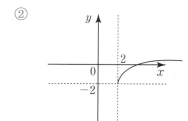

③
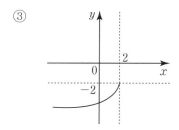

④
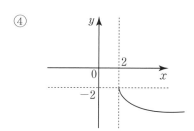

17. 무리함수 $y = \sqrt{x-2} + 3$의 정의역을 구하면?

① $\{x \mid 2 \leq x < 3\}$ ② $\{x \mid 0 \leq x < 3\}$

③ $\{x \mid x > 3\}$ ④ $\{x \mid x \geq 2\}$

18. 유리함수 $y = \dfrac{2x + k}{x - 1}$가 점 $(2,\ 1)$을 지날 때, 알맞은 k의 값은?

① 5 ② 6

③ 1 ④ -3

19. 무리함수 $y = \sqrt{x-2} + k$가 $(3,\ 4)$를 지날 때, k의 값은?

① 3 ② -12

③ 6 ④ 9

20. 무리함수 $y = \sqrt{kx}$가 $(1,\ 2)$를 지날 때, k의 값은?

① 12 ② -12

③ 6 ④ 4

06. 경우의 수

06 경우의 수

유형 01 **합의 법칙과 곱의 법칙**

(1) 사건과 경우의 수

　① 사건 : 동일한 조건에서 반복할 수 있는 실험이나 관찰에 의해 일어나는 결과

　② 경우의 수 : 어떤 사건이 일어나는 경우의 모든 가짓수

(2) 합의 법칙

　두 사건 A, B가 동시에 일어나지 않을 때, 사건 A, B가 일어나는 경우의 수가 각각 m, n이면 사건 A 또는 사건 B가 일어나는 경우의 수는 $m + n$(가지)이다.

(3) 곱의 법칙

　두 사건 A, B에 대하여 사건 A가 일어나는 경우의 수가 m이고, 그 각각에 대하여 사건 B가 일어나는 경우의 수가 n일 때, 두 사건 A, B가 동시에 일어나는 경우의 수는 $m \times n$(가지)이다.

기본문제 1-1　음료 3종류와 아이스크림 4종류 중에서 1가지를 선택하는 경우의 수를 구하시오.

정답　7

기본문제 1-2　1부터 10까지 적혀있는 공 10개 중에서 한 개의 공을 꺼낼 때, 3의 배수 또는 5의 배수의 눈이 나오는 경우의 수를 구하시오.

정답　5

기본문제 1-3 커피 5종류와 전통차 3종류가 있는 자동판매기가 있다. 이 자동판매기에서
다음과 같이 선택하는 경우의 수를 구하여라.

(1) 커피 또는 전통차 중에서 한 잔을 선택하는 경우
(2) 커피와 전통차를 각각 한 잔씩 선택하는 경우

정답 (1) 8 (2) 15

기본문제 1-4 그림과 같이 A도시에서 B도시로 가는 길은 3가지이고, B도시에서 C도시
로 가는 길은 4가지이다. A도시를 출발하여 B도시를 거쳐 C도시로 가는 경
우의 수를 구하시오.

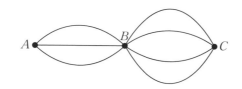

정답 12

기본문제 1-5 A, B 두 개의 주사위를 동시에 던질 때, 주사위 A는 홀수의 눈이 나오고,
주사위 B는 짝수의 눈이 나오는 경우의 수를 구하시오.

정답 9

기본문제 1-6 햄버거 5종류, 음료 2종류를 한 가지씩 선택하여 세트 메뉴를 만들려고 한다. 나올 수 있는 경우의 수를 구하시오.

정답 10

유형 02 순열

(1) 순열의 뜻

서로 다른 n개에서 $r(0 < r \leq n)$개를 택하여 일렬로 나열하는 것을 n개에서 r개를 택하는 순열이라고 하며, 이 순열의 수를 기호로 $_nP_r$과 같이 나타낸다.

(2) 순열의 수

서로 다른 n개에서 r개를 택하는 순열의 수는

$$_nP_r = \underbrace{n(n-1)(n-2) \cdots (n-r+1)}_{r개} \ (0 < r \leq n)$$

① $_nP_r = \dfrac{n!}{(n-r)!} \ (0 \leq r \leq n)$

② $_nP_n = n!, \ 0! = 1, \ _nP_0 = 1$

$_nP_n = n(n-1)(n-2) \times \cdots \times 3 \times 2 \times 1 = n!$

(n의 계승 또는 n 팩토리얼이라고 읽는다.)

기본문제 2-1   다음을 계산하여라.

(1) $_5P_1$ (2) $_6P_1$

(3) $_7P_0$ (4) $_4P_0$

(5) $_5P_2$ (6) $_6P_2$

(7) $_5P_3$ (8) $_7P_3$

정답 (1) 5   (2) 6   (3) 1   (4) 1
      (5) 20   (6) 30   (7) 60   (8) 210

기본문제 2-2   다음을 계산하여라.

(1) 1!   (2) 2!

(3) 3!   (4) 4!

(5) 5!   (6) 0!

(7) $_3P_3$ (8) $_4P_4$

정답 (1) 1   (2) 2   (3) 6   (4) 24
      (5) 120   (6) 1   (7) 6   (8) 24

기본문제 2-3

다음 물음에 답하여라.

(1) 4명의 학생을 일렬로 세우는 방법의 수를 구하여라.

(2) 4명의 학생 중 2명을 뽑아 일렬로 세우는 방법의 수를 구하여라.

정답 (1) 24 (2) 12

기본문제 2-4

다음 물음에 답하여라.

(1) 5명의 학생을 일렬로 앉히는 방법의 수를 구하여라.

(2) 10명의 학생 중에서 반장, 부반장을 각각 1명씩 뽑는 경우의 수를 구하여라.

정답 (1) 120 (2) 90

기본문제 2-5

4장의 카드 ①, ②, ③, ④가 있다. 이 중에서 서로 다른 두 장의 카드를 택하여 만들 수 있는 두 자리 정수의 개수를 구하여라.

정답 12

유형 03   조합

(1) 조합의 뜻

　서로 다른 n개 중에서 순서를 생각하지 않고 $r(0 < r \leq n)$개를 택할 때, 이것을 n개에서 r개를 택하는 조합이라 하며, 이 조합의 수를 기호로 $_nC_r$과 같이 나타낸다.

(2) 조합의 수

　서로 다른 n개에서 r개를 택하는 조합의 수는

$$_nC_r = \frac{_nP_r}{r!} = \frac{n(n-1)(n-2)\cdots(n-r+1)}{r!} = \frac{n!}{r!(n-r)!} \quad (0 \leq r \leq n)$$

① $_nC_r = {}_nC_{n-r} \quad (0 \leq r \leq n)$

② $_nC_n = 1, \ _nC_0 = 1$

기본문제 3-1   다음을 계산하여라.

(1) $_5C_1$　　　　　　　　　　　(2) $_6C_1$

(3) $_7C_0$　　　　　　　　　　　(4) $_4C_0$

(5) $_5C_2$　　　　　　　　　　　(6) $_6C_2$

(7) $_5C_3$　　　　　　　　　　　(8) $_7C_3$

|정답| (1) 5　(2) 6　(3) 1　(4) 1
(5) 10　(6) 15　(7) 10　(8) 35

기본문제 3-2 $_6C_2 + {}_6C_3$ 을 계산하시오.

|정답| 35

기본문제 3-3

다음을 구하여라.

(1) 회원이 5명인 모임에서 반장, 부반장을 각각 1명씩 정하는
경우의 수

(2) 회원이 5명인 모임에서 청소당번 2명을 정하는 경우의 수

정답   (1) 20   (2) 10

기본문제 3-4

다음을 구하여라.

(1) 회원이 6명인 모임에서 회장, 부회장, 총무를 각각 1명씩 정하는
경우의 수

(2) 회원이 6명인 모임에서 대표 3명을 정하는 경우의 수

정답   (1) 120   (2) 20

기본문제 3-5

10종류의 과일이 있다. 이 중에서 서로 다른 두 개를 택하여 과일 주스를
만들려고 한다. 나올 수 있는 경우의 수를 구하시오.

정답   45

17. 경우의 수

1. 참고서 5종류와 소설책 3종류 중에서 한 종류의 책을 구입하는 방법의 수는?

   ① 7

   ③ 12

   ② 8

   ④ 15

2. 서로 다른 음료 4가지, 과자 3가지 중에서 하나만을 택하는 경우의 수는?

   ① 6

   ③ 8

   ② 7

   ④ 12

3. 1부터 10까지의 숫자가 각각 하나씩 적힌 카드 중에서 한 장을 뽑을 때 3의 배수 또는 5의 배수가 나오는 경우의 수는?

   ① 5

   ③ 7

   ② 6

   ④ 8

4. 동전 한 개와 주사위 한 개를 동시에 던질 때, 나올 수 있는 경우의 수는?

   ① 6

   ③ 8

   ② 7

   ④ 12

5. 다음 그림에서 A지점에서 B지점으로 가는 방법의 수는? (단, 같은 지점은 두 번 이상 지나지 않는다.)

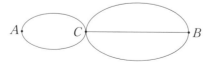

   ① 5

   ③ 7

   ② 6

   ④ 8

6. 다음 그림과 같은 도로망에서 A도시에서 B도시를 거쳐 C도시로 가는 모든 방법의 수는? (단, 같은 도시는 한 번만 지난다.)

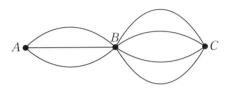

① 6   ② 7
③ 8   ④ 12

7. 서로 다른 공책 5종류, 서로 다른 연필 3종류 중에서 각각 하나씩 구입하려고 할 때, 구입할 수 있는 방법의 수는?

① 7   ② 8
③ 12   ④ 15

8. 두 자리의 자연수 중에서 십의 자리의 숫자는 2의 배수이고, 일의 자리의 숫자는 홀수인 것의 개수는?

① 20   ② 15
③ 10   ④ 5

9. $_5P_2$의 값은?

① 20   ② 15
③ 10   ④ 5

10. $_6P_3$의 값은?

① 120   ② 130
③ 140   ④ 150

11. 4!의 값은?

① 4   ② 6

③ 12   ④ 24

12. 8명의 릴레이 선수 중에서 제 1주자, 제 2주자까지 2명을 선택하는 경우의 수는?

① 30   ② 46

③ 56   ④ 66

13. 서로 다른 4개의 과일에서 2개를 골라 순서대로 나열하는 경우의 수는?

① 6   ② 7

③ 8   ④ 12

14. 서로 다른 5권의 책 중에서 3권을 뽑아 책장에 순서대로 꽂는 경우의 수는?

① 30   ② 46

③ 56   ④ 60

15. 서로 다른 숫자 1, 2, 3, 4, 5, 6 중 2개를 뽑아 만들 수 있는 두 자리 자연수의 개수는?

① 30   ② 46

③ 56   ④ 60

16. $_9C_2$ 의 값은?

① 36   ② 46

③ 56   ④ 72

17. $_4C_4$ 의 값은?

① 4   ② 3

③ 2   ④ 1

18. $_{10}P_2 + {}_{10}C_2 + 3!$ 의 값은?

① 134   ② 136

③ 141   ④ 144

19. 8명의 학생 중 임원 2명을 선출하는 방법의 수는?

① 24   ② 26

③ 28   ④ 30

20. 12명의 학생회 학생 중에서 부회장 2명을 뽑는 방법의 수는?

① 48   ② 54

③ 60   ④ 66

실전모의고사
1, 2회 풀어보기

1. 두 다항식 $(3x - 2y) + (x - 2y) = ax + by$일 때, $a + b$를 계산하면?

   ① 0   ② 1

   ③ 2   ④ 3

2. 두 다항식 $A = 4x + 2$, $B = 2x - 5$일 때, AB의 값은?

   ① $8x^2 - 16x - 10$ ② $6x^2 - 7x - 15$

   ③ $8x^2 - 5x - 13$ ④ $8x^2 - 11x - 10$

3. 등식 $(x + 2)^2 = (x - 3)^2 + 10(x - 3) + a$가 x에 대한 항등식일 때, 상수 a의 값을 구하면?

   ① 4   ② 9

   ③ 16   ④ 25

4. 다항식 $x^2 + 2x - 3$을 $x + 1$로 나눈 나머지는?

   ① -4 ② -5

   ③ 4   ④ 5

5. $(1 - 5i) + (3 + 4i) = a + bi$를 만족하는 두 실수 a, b에 대하여 $a - b$의 값은? (단, $i = \sqrt{-1}$)

   ① 7   ② 6

   ③ 5   ④ 4

6. 이차방정식 $x^2 + 5x + 7 = 0$의 두 근이 α, β일 때, $\alpha\beta + \alpha + \beta + 1$의 값은?

① 3

② 5

③ -5

④ 7

7. 이차함수 $y = x^2 + 4x + 2$는 $x = a$일 때, 최솟값 b를 갖는다. $a + b$의 값은?

① -1

② -2

③ -4

④ -9

8. 연립방정식 $\begin{cases} x + y = 9 \\ x - y = a \end{cases}$의 해가 $x = 5$, $y = b$일 때, $a + b$의 값은?

① 5

② 7

③ 9

④ 11

9. 부등식 $|x - 1| \leq 4$를 수직선 위에 나타낸 것은?

①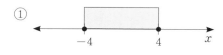

②

③

④

10. 좌표평면 위의 두 점 $A(1, 3)$, $B(5, 6)$에 대하여 선분 AB의 길이는?

① $3\sqrt{2}$

② 5

③ $5\sqrt{2}$

④ 9

11. 좌표평면 위의 두 점 $A(3, 1)$, $B(7, 9)$에 대하여 선분 AB의 중점 M의 좌표는?

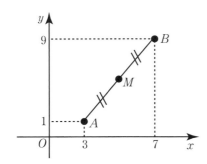

① $(2, 3)$

② $(3, 5)$

③ $(6, 5)$

④ $(5, 5)$

12. 그래프가 다음 그림과 같을 때, 직선의 방정식은?

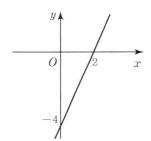

① $y = x - 4$

② $y = 2x - 4$

③ $y = -x - 2$

④ $y = 2x - 2$

13. 중심이 $(1, 3)$이고, 원점을 지나는 원의 방정식은?

① $(x + 1)^2 + (y + 3)^2 = 3$

② $(x - 1)^2 + (y - 3)^2 = 10$

③ $(x - 1)^2 + (y - 3)^2 = 9$

④ $(x + 1)^2 + (y + 3)^2 = 13$

14. 좌표평면 위의 점 $(-1, 0)$을 x축의 방향으로 5만큼, y축의 방향으로 2만큼 평행 이동한 점의 좌표는?

① $(-6, -2)$

② $(4, 2)$

③ $(2, 6)$

④ $(1, 2)$

15. 좌표평면 위의 점 $(2,\ 1)$을 x축에 대하여 대칭이동한 후, 다시 원점에 대하여 대칭이동한 점의 좌표는?

① $(1,\ -2)$ ② $(1,\ 2)$

③ $(-2,\ 1)$ ④ $(2,\ 1)$

16. 두 집합 $A = \{1,\ 2,\ 3,\ 4,\ 5\}$, $B = \{2,\ 4,\ 6\}$에 대하여 $A - B$를 구하면?

① $\{3\}$ ② $\{1,\ 2\}$

③ $\{1,\ 3,\ 5\}$ ④ $\{2,\ 4\}$

17. 명제 '$p \to \sim q$'의 대우는?

① $p \to \sim q$ ② $\sim p \to q$

③ $\sim q \to p$ ④ $q \to \sim p$

18. 함수 $f : X \to Y$ 에서 $f(a) = 4$일 때, a의 값은?

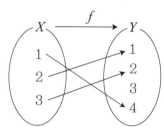

① 1

② 2

③ 3

④ 4

19. $y = \dfrac{-1}{x}$ 이 다음과 같이 평행이동 하였을 때, 올바른 분수함수는?

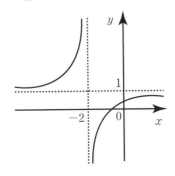

① $y = \dfrac{-1}{x+2} + 1$

② $y = \dfrac{1}{x-1} - 2$

③ $y = \dfrac{1}{x+2} + 1$

④ $y = \dfrac{1}{x+1} + 2$

20. 서로 다른 숫자 1, 2, 3, 4, 5 중 2개를 뽑아 만들 수 있는 두 자리 자연수의 개수는?

① 20

② 10

③ 5

④ 1

1. $A = -2x + 4$, $B = 3x + 1$에 대하여 $A+2B$는?

   ① $5x + 5$ ② $7x + 9$

   ③ $4x + 6$ ④ $3x + 9$

2. 등식 $(x + 3)(x + 1) = x^2 + ax + 3$이 x에 대한 항등식일 때, 상수 a의 값을 구하면?

   ① 4 ② 6

   ③ 7 ④ 8

3. 다항식 $3x^2 - 2x + k$가 $x - 2$로 나누어 떨어질 때, k의 값은?

   ① 1 ② 0

   ③ -8 ④ -2

4. $\begin{cases} x + y = 5 \\ xy = 4 \end{cases}$ 를 만족하는 x, y에 대하여 $x^2 + y^2$의 값은?

   ① 0 ② 1

   ③ 12 ④ 17

5. $(1 + 3i)(2 + i) = a + bi$를 만족하는 두 실수 a, b에 대하여 $a + b$의 값은? (단, $i = \sqrt{-1}$)

   ① 6 ② 7

   ③ 8 ④ 9

6. 이차방정식 $x^2 + 3x - 2 = 0$의 두 근을 α, β라고 할 때, $\dfrac{1}{\alpha} + \dfrac{1}{\beta}$의 값은?

   ① $\dfrac{3}{2}$ ② 3

   ③ $-\dfrac{3}{2}$ ④ $\dfrac{2}{3}$

7. $3 \leq x \leq 5$일 때, 이차함수 $y = (x - 1)^2 + 3$의 최댓값은?

   ① 10 ② 13
   ③ 16 ④ 19

8. 연립방정식 $\begin{cases} x + y = a \\ xy = b \end{cases}$ 의 해가 $x = 1$, $y = 4$일 때, $a - b$의 값은?

   ① 1 ② -5
   ③ 5 ④ 7

9. 이차부등식 $x^2 - 3x - 18 \leq 0$의 해는?

   ① $3 \leq x \leq 6$ ② $-3 \leq x \leq 6$
   ③ $x \leq -3$ 또는 $x \geq 6$ ④ $x \leq -6$ 또는 $x \geq 3$

10. 좌표평면 위의 두 점 $A(-2,\ 3)$, $B(6,\ 7)$에 대하여 선분 AB를 1:3으로 내분하는 점의 좌표는?

    ① $(0,\ 0)$ ② $(0,\ 4)$
    ③ $(2,\ 1)$ ④ $(1,\ 4)$

11. $y = -4x + 2$와 수직이며, $(0,\ 1)$을 지나는 직선의 방정식은?

① $y = 4x + 1$ ② $y = \dfrac{1}{4}x + 1$

③ $y = \dfrac{1}{4}x + 3$ ④ $y = -4x - 1$

12. 중심이 $(3,\ -2)$이고, y축에 접하는 원의 방정식은?

① $(x + 3)^2 + (y - 2)^2 = 9$

② $(x - 3)^2 + (y + 2)^2 = 9$

③ $(x + 3)^2 + (y - 2)^2 = 4$

④ $(x - 3)^2 + (y + 2)^2 = 4$

13. $(x - 2)^2 + (y - 1)^2 = 1$을 원점에 대하여 대칭이동한 원의 방정식은?

① $(x - 2)^2 + (y + 1)^2 = 1$

② $(x + 2)^2 + (y - 1)^2 = 1$

③ $(x + 2)^2 + (y + 1)^2 = 1$

④ $(x - 1)^2 + (y - 2)^2 = 1$

14. 전체집합 $U = \{1,\ 2,\ 3,\ 4,\ 5,\ 6\}$의 두 부분집합 A, B가 $A = \{x | x$는 6의 약수$\}$, $B = \{3,\ 4,\ 5,\ 6\}$일 때, $B \cap A^c$은?

① $\{1\}$ ② $\{4,\ 5\}$

③ $\{1,\ 2\}$ ④ $\{2,\ 3\}$

15. 명제 '$a > 0$이면 $b > 0$이다.'의 역은?

① $b > 0$이면 $a > 0$이다.

② $a < 0$이면 $b < 0$이다.

③ $b \leq 0$이면 $a \leq 0$이다.

④ $a \leq 0$이면 $b \leq 0$이다.

16. 함수 $f(x) = 2x + 3$일 때, $(f \circ f)(1)$의 값은?

① 17   ② 13

③ 7   ④ 8

17. 분수함수 $y = \dfrac{-1}{x+1} + 2$의 점근선의 방정식은?

① $x = 1,\ y = 4$ ② $x = -1,\ y = 2$

③ $x = 1,\ y = -4$ ④ $x = -1,\ y = -4$

18. 무리함수 $y = \sqrt{x+2} + k$가 $(2,\ 5)$를 지날 때, k의 값은?

① 3   ② 1

③ 6   ④ 9

19. $_6P_2 + {_6}C_2$의 값은?

① 15   ② 30

③ 45   ④ 90

20. 7명의 모임에서 대표 2명을 뽑는 방법의 수는?

① 21   ② 42

③ 60   ④ 66

정답 및 해설

단원별확인문제
실전모의고사 1, 2

단원확인문제

01. 다항식

1. ③	2. ④	3. ①	4. ④	5. ①
6. ③	7. ③	8. ④	9. ③	10. ①
11. ③	12. ④	13. ④	14. ④	15. ②
16. ②	17. ②	18. ②	19. ③	20. ①

1. $A + B = 3a - 3b + 3$

2. $A - B = -3x + 10$

3. $A + B = (4x^2 - 2x) + (3x^2 + 2x) = 7x^2$

4. $(3x + 5y) + (2x - 2y) = 5x + 3y$

5. $(6x + 3y) - (4x - 4y) = 2x + 7y$

6. $(2x + y) + (x - 5y) = 3x - 4y$

7. $A + 2B = (2x + 4) + 2(3x + 1)$
$= 2x + 4 + 6x + 2 = 8x + 6$

8. $2A + B = 2(3x - 2) + (x + 3)$
$= 6x - 4 + x + 3 = 7x - 1$

9. $2A + 3B = 2(2x^2 + 3x) + 3(x^2 + 2x)$
$= 4x^2 + 6x + 3x^2 + 6x$
$= 7x^2 + 12x$

10. $(4x + 1)(3x + 2) = 12x^2 + 8x + 3x + 2$
$= 12x^2 + 11x + 2$

11. $(2x - 2)(3x + 5) = 6x^2 + 10x - 6x - 10$
$= 6x^2 + 4x - 10$

12. $(x - 5)(x + 5) = x^2 - 25$

13. $AB = (4x - 5)(3x - 2)$
$= 12x^2 - 8x - 15x + 10$
$= 12x^2 - 23x + 10$

14. $AB = (3x + 2)(2x - 5)$
$= 6x^2 - 15x + 4x - 10$
$= 6x^2 - 11x - 10$

15. 완전제곱식 $(x - 4)^2 = x^2 - 8x + 16$

16. $(a - 6)^2 = a^2 - 12a + 36$

17. $x^2 + y^2 = (x + y)^2 - 2xy$
$= 5^2 - 2 \times 6 = 13$

18. $x^2 + y^2 = (x + y)^2 - 2xy$
$= 3^2 - 2 \times 4 = 1$

19. $\dfrac{1}{x} + \dfrac{1}{y} = \dfrac{x + y}{xy} = \dfrac{6}{3} = 2$

20. $\dfrac{1}{x} + \dfrac{1}{y} = \dfrac{x + y}{xy} = \dfrac{8}{2} = 4$

02. 항등식과 나머지 정리

1. ④	2. ③	3. ④	4. ①	5. ②
6. ④	7. ③	8. ②	9. ③	10. ①
11. ③	12. ②	13. ①	14. ④	15. ③
16. ④	17. ②	18. ②	19. ①	20. ③

1. 좌우가 항상 같은 식을 찾는다.

2. 좌우가 항상 같은 식을 찾는다.

3. $a = 2$, $b = 3$

4. $a + 1 = 0$, $b - 2 = 0$

5. $a = 2$, $b = -3$, $c = 5$

6. 좌변을 전개하면 $(x + 2)(x + 4) = x^2 + 6x + 8$
이므로 $a = 8$이다.

7. 좌변을 전개하면
$(2x + 3)(x + 1)$

$$= 2x^2 + 2x + 3x + 3$$
$$= 2x^2 + 5x + 3 \text{이므로 } a = 2, \ b = 5, \ c = 3$$
$$a + b + c = 10$$

8. 양변에 $x = 1$을 대입하면
$$(1)^2 + 4 \times (1) - 2 = 3$$

9. 양변에 $x = -2$를 대입하면
$$(-2)^2 + 3 \times (-2) + 4 = 2$$

10. 양변에 $x = 1$을 대입하면
$$(-2)^2 = (1 - 1)^2 - 4 \times (1 - 1) + a$$
이므로 $4 = a$이다.

11. 양변에 $x = -1$을 대입하면
$$(1)^2 = (-1 + 1)^2 + 2 \times (-1 + 1) + a$$
이므로 $1 = a$이다.

12. $x = 1$을 대입하면
$$= (1)^2 + 3 \times (1) - 2$$
$$= 1 + 3 - 2$$
$$= 2$$

13. $x = 2$를 대입하면
$$= (2)^2 + 2 \times (2) - 3$$
$$= 4 + 4 - 3$$
$$= 5$$

14. $x = -1$을 대입하면
$$= (-1)^3 - 3 \times (-1)^2 - 5$$
$$= -1 - 3 - 5$$
$$= -9$$

15. $x = 1$을 대입하면
$$(1)^2 - 2 \times (1) + k = 3 \quad \text{따라서 } k = 4$$

16. $x = 1$을 대입하면
$$1^2 + 3 \times 1 + k = 0 \quad \text{따라서 } k = -4$$

17. $x = 2$를 대입하면
$$2^2 + 2 \times 2 + k = 0 \quad \text{따라서 } k = -8$$

18. $x = -2$를 대입하면
$$(-2)^2 + 2 \times (-2) + k = 0 \quad \text{따라서 } k = 0$$

19. 조립제법 표에서 몫은 $x + 4$이고, 나머지는 8이다.

20. 조립제법 표에서 $a = 2$이고, $b = 8$이다.

03. 인수분해

1. ②	2. ①	3. ①	4. ③	5. ④
6. ③	7. ③	8. ①	9. ③	10. ④
11. ②	12. ①	13. ③	14. ③	15. ④
16. ①	17. ②	18. ①	19. ③	20. ①

1. 공통인수로 묶는다.
$$x^2 - 5x = x(x - 5)$$

2. 공통인수로 묶는다.
$$x^2 + 9x = x(x + 9)$$

3. 공통인수로 묶는다.
$$x^2 - x = x(x - 1)$$

4. 합, 차 공식을 이용
$$x^2 - 16 = (x - 4)(x + 4)$$

5. 합, 차 공식을 이용
$$x^2 - 4 = (x - 2)(x + 2)$$

6. 합, 차 공식을 이용
$$x^2 - 25 = (x + 5)(x - 5)$$

7. 합, 곱 공식을 이용
$$x^2 + 8x + 12 = (x + 2)(x + 6)$$

8. 합, 곱 공식을 이용
$$x^2 - 10x + 24 = (x - 4)(x - 6)$$

9. 합, 곱 공식을 이용
$$x^2 + 6x + 5 = (x + 5)(x + 1)$$

10. 합, 곱 공식을 이용
$$x^2 - 5x + 6 = (x - 2)(x - 3)$$

11. 합, 곱 공식을 이용
$$x^2 + 7x + 12 = (x + 3)(x + 4)$$

12. 합, 곱 공식을 이용
$$x^2 - 4x + 3 = (x - 1)(x - 3)$$

13. 합, 곱 공식을 이용
$x^2 - 4x - 12 = (x-6)(x+2)$

14. 합, 곱 공식을 이용
$x^2 - x - 6 = (x-3)(x+2)$

15. 합, 곱 공식을 이용
$x^2 + 5x - 14 = (x-2)(x+7)$

16. 합, 곱 공식을 이용
$x^2 - 5x - 6 = (x-6)(x+1)$

17. 완전제곱식
$x^2 - 6x + 9 = (x-3)^2$

18. 완전제곱식
$x^2 + 10x + 25 = (x+5)^2$

19. ㄷ. $x^2 - 8x + 15 = (x-5)(x-3)$
ㄹ. $x^2 - 2x - 3 = (x-3)(x+1)$

20. ㄴ. $x^2 + 6x + 9 = (x+3)^2$
ㄷ. $x^2 - 4x = x(x-4)$

04. 복소수

1. ③	2. ③	3. ①	4. ③	5. ②
6. ③	7. ④	8. ②	9. ②	10. ④
11. ①	12. ④	13. ①	14. ②	15. ①
16. ②	17. ③	18. ②	19. ④	20. ④

1. $\sqrt{-1} = i$

2. $3 + \sqrt{-9} = 3 + 3i$

3. $1 + \sqrt{-2} = 1 + \sqrt{2}\,i$

4. $\sqrt{-1} + \sqrt{-25} = \sqrt{1}\,i + \sqrt{25}\,i = i + 5i = 6i$

5. 켤레복소수 : 허수부분의 부호가 반대인 복소수

6. $\overline{4 - 3i} = 4 + 3i$

7. $z = 2 + 3i$의 켤레복소수 $\overline{z} = 2 - 3i$ 이다.
따라서 $z + \overline{z} = 4$

8. $x = 3, \ y = -2$

9. $(a+1) = 2, \ b = 3$

10. $2x = 6, \ y - 3 = 2$ 따라서 $x = 3, \ y = 5$

11. $a - 5 = 0, \ b - 3 = 0$

12. $a + 3 = 0, \ b - 2 = 0$

13. $(4 + 3i) + (-2 + 2i) = 2 + 5i$

14. $(2 - 5i) + (3 + 4i) = 5 - i$ 이므로
$a = 5, \ b = -1$이다.

15. $(1 + 3i) - (2 + i) = 1 + 3i - 2 - i = -1 + 2i$

16. $x - y = (5 + 6i) - (4 + i) = 5 + 6i - 4 - i$
$= 1 + 5i$

17. $(1 + 2i)(3 + 3i)$
$= 3 + 3i + 6i + 6i^2$
$= 3 + 3i + 6i - 6$
$= -3 + 9i$

18. $(2 + 3i)(3 - i)$
$= 6 - 2i + 9i - 3i^2$
$= 6 - 2i + 9i + 3$
$= 9 + 7i$

19. $(2 + i)(2 - i)$
$= 4 - i^2$
$= 4 + 1$
$= 5$

20. 분모의 실수화 : 분모의 켤레복소수를 분자, 분모에 곱한다.

$$\frac{1-i}{1+i} = \frac{(1-i)(1-i)}{(1+i)(1-i)} = \frac{1-i-i+i^2}{1-i^2}$$
$$= \frac{-2i}{2} = -i$$

05. 이차방정식

1. ③	2. ①	3. ③	4. ①	5. ④
6. ④	7. ④	8. ③	9. ④	10. ②
11. ①	12. ②	13. ②	14. ④	15. ②
16. ②	17. ③	18. ③	19. ①	20. ③

1. $x^2 + 4x + 3 = (x+1)(x+3) = 0$
따라서 $x = -1$ 또는 $x = -3$

2. $x^2 - 5x + 4 = (x-1)(x-4) = 0$
따라서 $x = 1$ 또는 $x = 4$

3. $x^2 - 5x - 24 = (x-8)(x+3) = 0$
따라서 $x = 8$ 또는 $x = -3$

4. $x^2 - 2x - 24 = (x-6)(x+4) = 0$
따라서 $x = 6$ 또는 $x = -4$

5. $\alpha\beta = \dfrac{c}{a} = \dfrac{4}{1} = 4$

6. $\alpha + \beta = -\dfrac{b}{a} = -\dfrac{-6}{1} = 6$

7. $\alpha + \beta = -5$, $\alpha\beta = -14$

8. $\alpha + \beta = 3$, $\alpha\beta = 2$

9. $\alpha^2 + \beta^2 = (\alpha+\beta)^2 - 2\alpha\beta$
$\qquad = (-4)^2 - 2 \times (3) = 10$

10. $\alpha^2 + \beta^2 = (\alpha+\beta)^2 - 2\alpha\beta$
$\qquad = (6)^2 - 2 \times (4) = 28$

11. $\dfrac{1}{\alpha} + \dfrac{1}{\beta} = \dfrac{\alpha+\beta}{\alpha\beta} = \dfrac{-2}{8} = -\dfrac{1}{4}$

12. $\dfrac{1}{\alpha} + \dfrac{1}{\beta} = \dfrac{\alpha+\beta}{\alpha\beta} = \dfrac{-3}{-1} = 3$

13. $\alpha\beta = 6$이므로 한 근이 3일 때 다른 한 근은 2 이다.

14. $\alpha + \beta = -6$이므로 한 근이 -4일 때 다른 한 근은 -2이다.
따라서 두 근의 곱은 8이다.

15. 두 수 5, 2를 근으로 하는 x^2의 계수가 1인 이차방정식은 $(x-5)(x-2) = 0$ 이다.
따라서 $x^2 - 7x + 10 = 0$ 이다.

16. 두 수 -5, 2를 근으로 하는 x^2의 계수가 1인 이차방정식은 $(x+5)(x-2) = 0$ 이다.
따라서 $x^2 + 3x - 10 = 0$ 이다.

17. 중근을 갖기 위한 조건은 $b^2 - 4ac = 0$ 이다.
$b^2 - 4ac = 10^2 - 4 \times 1 \times k$
$\qquad = 100 - 4k = 0$
따라서 $k = 25$ 이다.

18. 중근을 갖기 위한 조건은 $b^2 - 4ac = 0$ 이다.
$b^2 - 4ac = 6^2 - 4 \times 1 \times (k+4)$
$\qquad = 36 - 4k - 16 = 0$
따라서 $k = 5$ 이다.

19. $b^2 - 4ac = 4^2 - 4 \times 1 \times 4 = 0$
따라서 실근의 개수는 1개이다.

20. 이차방정식 $x^2 + 6x + k = 0$이 서로 다른 두 실근을 갖기 위한 조건은 $b^2 - 4ac > 0$ 이다.
$b^2 - 4ac = 6^2 - 4 \times 1 \times k = 36 - 4k > 0$
따라서 $k < 9$ 이다.

06. 이차함수

1. ①	2. ②	3. ①	4. ③	5. ②
6. ②	7. ①	8. ①	9. ④	10. ①
11. ①	12. ③	13. ②	14. ①	15. ④
16. ①	17. ③	18. ③	19. ①	20. ③

1. $y = a(x-p)^2 + q$의 꼭짓점의 좌표는 (p, q)이다. 따라서 $(-1, -2)$

2. $y = a(x-p)^2 + q$의 꼭짓점의 좌표는 (p, q)이다. 따라서 $(1, -2)$

3. $y = a(x-p)^2 + q$의 꼭짓점의 좌표는 (p, q)이다. 따라서 $(-2, 3)$

4. $y = a(x - p)^2 + q$ 의 꼭짓점의 좌표는 (p, q)이다. 따라서 $(1, 5)$

5. ($\Rightarrow$ x좌표 : 공식 $x = -\dfrac{b}{2a}$)

　($\Rightarrow$ y좌표 : x좌표를 식에 대입)

　$x = -\dfrac{b}{2a}$ $\Rightarrow$ $x = -\dfrac{4}{2 \times 1} = -2$

　$x = -2$를 $y = x^2 + 4x + 5$에 대입

　$\Rightarrow$ $y = (-2)^2 + 4 \times (-2) + 5 = 1$

　따라서 꼭짓점은 $(-2, 1)$이다.

6. ($\Rightarrow$ x좌표 : 공식 $x = -\dfrac{b}{2a}$)

　($\Rightarrow$ y좌표 : x좌표를 식에 대입)

　$x = -\dfrac{b}{2a}$ $\Rightarrow$ $x = -\dfrac{-6}{2 \times 1} = 3$

　$x = 3$을 $y = x^2 - 6x + 5$에 대입

　$\Rightarrow$ $y = (3)^2 - 6 \times (3) + 5 = -4$

　따라서 꼭짓점은 $(3, -4)$이다.

7. ($\Rightarrow$ x좌표 : 공식 $x = -\dfrac{b}{2a}$)

　($\Rightarrow$ y좌표 : x좌표를 식에 대입)

　$x = -\dfrac{b}{2a}$ $\Rightarrow$ $x = -\dfrac{4}{2 \times (-1)} = 2$

　$x = 2$를 $y = -x^2 + 4x + 5$에 대입

　$\Rightarrow$ $y = -(2)^2 + 4 \times (2) + 5 = 9$

　따라서 꼭짓점은 $(2, 9)$이다.

8. 아래로 볼록한 이차함수의 최솟값은 꼭짓점의 y좌표이다.

9. 아래로 볼록한 이차함수의 최솟값은 꼭짓점의 y좌표이다.

10. 위로 볼록한 이차함수의 최댓값은 꼭짓점의 y좌표이다.

11. ($\Rightarrow$ x좌표 : 공식 $x = -\dfrac{b}{2a} = -\dfrac{10}{2 \times 1} = -5$)

　($\Rightarrow$ y좌표 : x좌표를 식에 대입

　　　$= (-5)^2 + 10 \times (-5) + 29 = 4$)

주어진 이차함수는 $x = -5$일 때, 최솟값 4를 갖는다.

12. ($\Rightarrow$ x좌표 : 공식 $x = -\dfrac{b}{2a} = -\dfrac{-8}{2 \times 2} = 2$)

　($\Rightarrow$ y좌표 : x좌표를 식에 대입

　　　$= 2 \times (2)^2 - 8 \times (2) + 13 = 5$)

주어진 이차함수는 $x = 2$일 때, 최솟값 5를 갖는다.

13. $\begin{cases} x = 0 \, 대입 \Rightarrow (0)^2 - 4 \times (0) + 9 = 9 \\ x = 2 \, 대입 \Rightarrow (2)^2 - 4 \times (2) + 9 = 5 \\ (꼭짓점) \\ x = 3 \, 대입 \Rightarrow (3)^2 - 4 \times (3) + 9 = 6 \end{cases}$

대입하여 찾은 값 중 최대 최소를 찾는다.

최댓값 : 9,　최솟값 : 5

14. $\begin{cases} x = 1 \, 대입 \Rightarrow (1)^2 - 6 \times (1) + 10 = 5 \\ x = 3 \, 대입 \Rightarrow (3)^2 - 6 \times (3) + 10 = 1 \\ (꼭짓점) \\ x = 4 \, 대입 \Rightarrow (4)^2 - 6 \times (4) + 10 = 2 \end{cases}$

대입하여 찾은 값 중 최대 최소를 찾는다.

최댓값 : 5,　최솟값 : 1

15. $\begin{cases} x = 0 \, 대입 \Rightarrow -(0)^2 + 2 \times (0) - 5 = -5 \\ x = 1 \, 대입 \Rightarrow -(1)^2 + 2 \times (1) - 5 = -4 \\ (꼭짓점) \\ x = 3 \, 대입 \Rightarrow -(3)^2 + 2 \times (3) - 5 = -8 \end{cases}$

대입하여 찾은 값 중 최대 최소를 찾는다.

최댓값 : -4,　최솟값 : -8

16. 주어진 함수는 $x = 1$일 때 최솟값 6, $x = 3$일 때 최댓값 18을 갖는다.

17. 주어진 함수는 $x = 3$일 때, 최솟값 4, $x = 5$일 때 최댓값 12를 갖는다.

18. 그래프에서 주어진 함수는 $x = 3$일 때 최댓값 6을 갖는다.

19. $b^2 - 4ac$

　$= (-6)^2 - 4 \times 1 \times 9 = 36 - 36 = 0$

따라서 x축과의 교점의 개수는 1개이다.

20. 이차함수가 x축과 한 점에서 만나기 위한 조건은 $b^2 - 4ac = 0$ 이다.

1. ④	2. ①	3. ③	4. ④	5. ①
6. ②	7. ①	8. ①	9. ④	10. ①
11. ②	12. ③	13. ④	14. ④	15. ②
16. ②	17. ②	18. ②	19. ③	20. ①

1. $\begin{cases} x + y = 5 \\ x - y = 1 \end{cases}$ 의 양변을 더하면 $2x = 6$이다. 양변을 2로 나누면 $x = 3$이다. 이 값을 주어진 문제의 첫 번째 식인 $x + y = 5$에 대입하면 $y = 2$ 이다.

2. $\begin{cases} x + y = 10 \\ x - y = 6 \end{cases}$ 의 양변을 더하면 $2x = 16$이다. 양변을 2로 나누면 $x = 8$이다. 이 값을 주어진 문제의 첫 번째 식인 $x + y = 10$에 대입하면 $y = 2$ 이다.

3. $\begin{cases} x + y = 9 \\ x - y = 5 \end{cases}$ 의 양변을 더하면 $2x = 14$이다. 양변을 2로 나누면 $x = 7$이다. 이 값을 주어진 문제의 첫 번째 식인 $x + y = 9$에 대입하면 $y = 2$ 이다.

4. 연립방정식 $\begin{cases} x + 2y = 8 \\ x - 2y = 4 \end{cases}$ 의 양변을 더하면 $2x = 12$이다. 양변을 2로 나누면 $x = 6$이다. 이 값을 주어진 문제의 첫 번째 식인 $x + 2y = 8$에 대입하면 $2y = 2$ 이다. 양변을 2로 나누면 $y = 1$이다.

5. 연립방정식 $\begin{cases} 2x + y = 12 \\ 2x - y = 8 \end{cases}$ 의 양변을 더하면 $4x = 20$이다. 양변을 4로 나누면 $x = 5$이다. 이 값을 주어진 문제의 첫 번째 식인 $2x + y = 12$에 대입하면 $y = 2$ 이다.

6. $\begin{cases} x + y = 6 \\ 2x - y = 6 \end{cases}$ 의 양변을 더하면 $3x = 12$이다. 양변을 3으로 나누면 $x = 4$이다. 이 값을 주어진 문제의 첫 번째 식인 $x + y = 6$에 대입하면 $y = 2$이다.

7. $\begin{cases} 2x + y = 10 \\ x - y = 5 \end{cases}$ 의 양변을 더하면 $3x = 15$이다. 양변을 3으로 나누면 $x = 5$이다. 이 값을 주어진 문제의 첫 번째 식인 $2x + y = 10$에 대입하면 $y = 0$이다.

8. $\begin{cases} x + 2y = 9 \\ x - 2y = 1 \end{cases}$ 의 양변을 더하면 $2x = 10$이다. 양변을 2로 나누면 $x = 5$이다. 이 값을 주어진 문제의 첫 번째 식인 $x + 2y = 9$에 대입하면 $y = 2$이다.

9. $\begin{cases} 3x + y = 9 \\ x + y = 3 \end{cases}$ 의 양변을 빼면 $2x = 6$이다. 양변을 2로 나누면 $x = 3$이다. 이 값을 주어진 문제의 첫 번째 식인 $3x + y = 9$에 대입하면 $y = 0$이다.

10. $\begin{cases} 2x + y = 10 \\ x + y = 6 \end{cases}$ 의 양변을 빼면 $x = 4$이다. 이 값을 주어진 문제의 두 번째 식인 $x + y = 6$에 대입하면 $y = 2$이다.

11. $\begin{cases} 4x + y = 20 \\ 2x + y = 12 \end{cases}$ 의 양변을 빼면 $2x = 8$이다. 양변을 2로 나누면 $x = 4$이다. 이 값을 주어진 문제의 첫 번째 식인 $4x + y = 20$에 대입하면 $y = 4$이다.

12. $\begin{cases} 3x + y = 6 \\ 2x + y = 4 \end{cases}$ 의 양변을 빼면 $x = 2$이다. 이 값을 주어진 문제의 첫 번째 식인 $3x + y = 6$에 대입하면 $y = 0$이다.

13. $\begin{cases} 2x + 3y = 11 \\ 2x + y = 5 \end{cases}$ 의 양변을 빼면 $2y = 6$이다. 양변을 2로 나누면 $y = 3$이다. 이 값을 주어진 문제의 두 번째 식인 $2x + y = 5$에 대입하면 $x = 1$이다.

14. 연립방정식 $\begin{cases} x + y = a \\ x - y = b \end{cases}$ 에 주어진 해 $x = 5$, $y = 2$를 대입하면 $\begin{cases} 5 + 2 = a \\ 5 - 2 = b \end{cases}$ 이므로 $a = 7$, $b = 3$이다.

15. 연립방정식 $\begin{cases} x + y = a \\ x - y = b \end{cases}$ 에 주어진 해 $x = 7$, $y = 3$을 대입하면 $\begin{cases} 7 + 3 = a \\ 7 - 3 = b \end{cases}$ 이므로 $a = 10$, $b = 4$이다.

16. 연립방정식 $\begin{cases} x + y = 9 \\ x - y = a \end{cases}$ 에 주어진 해

$x = 7$, $y = b$를 대입하면 $\begin{cases} 7 + b = 9 \\ 7 - b = a \end{cases}$ 이므로

$b = 2$이고, $a = 5$이다.

17. 연립방정식 $\begin{cases} 2x + y = 10 \\ x - y = a \end{cases}$ 에 주어진 해

$x = 3$, $y = b$를 대입하면 $\begin{cases} 2 \times 3 + b = 10 \\ 3 - b = a \end{cases}$ 이므로

$b = 4$이고, $a = -1$이다.

18. 연립방정식 $\begin{cases} x + y = a \\ xy = b \end{cases}$ 에 주어진 해

$x = 3$, $y = 4$를 대입하면 $\begin{cases} 3 + 4 = a \\ 3 \times 4 = b \end{cases}$ 이므로

$a = 7$이고, $b = 12$이다.

19. 연립방정식 $\begin{cases} x + y = 10 \\ xy = a \end{cases}$ 에 주어진 해

$x = 8$, $y = b$를 대입하면 $\begin{cases} 8 + b = 10 \\ 8 \times b = a \end{cases}$ 이므로

$b = 2$이고, $a = 16$이다.

20. 연립방정식 $\begin{cases} x + y = 6 \\ xy = a \end{cases}$ 에 주어진 해

$x = 2$, $y = b$를 대입하면 $\begin{cases} 2 + b = 6 \\ 2 \times b = a \end{cases}$ 이므로

$b = 4$이고, $a = 8$이다.

08. 부등식

1. ①	2. ③	3. ③	4. ②	5. ④
6. ④	7. ④	8. ①	9. ③	10. ①
11. ③	12. ④	13. ②	14. ③	15. ④
16. ①	17. ④	18. ②	19. ④	20. ③

1. $|x| \le 2$의 해는 $-2 \le x \le 2$이므로 이것을 수직선에 나타내면

이다.

2. $|x| > 2$의 해는 $x < -2$ 또는 $x > 2$ 이다.

3. $|x + 1| \ge 4$의 해는 $x \le -5$ 또는 $x \ge 3$이므로 수직선에 나타내면

이다.

4. $|x - 5| < 1$
   $-1 < x - 5 < 1$
   $4 < x < 6$

5. $|x - 2| \le 3$
   $-3 \le x - 2 \le 3$
   $-1 \le x \le 5$

6. $|2x - 4| \ge 6$
   $2x - 4 \le -6$ 또는 $2x - 4 \ge 6$
   $2x \le -2$ 또는 $2x \ge 10$
   $x \le -1$ 또는 $x \ge 5$

7. $|2x + 1| \le 7$
   $-7 \le 2x + 1 \le 7$
   $-8 \le 2x \le 6$
   $-4 \le x \le 3$
정수 x의 개수는 $-4, -3, -2, -1, 0, 1, 2, 3$이므로 8개다.

8. $x(x - 4) \le 0$의 해는 $0 \le x \le 4$이고 이것을 수직선에 나타내면

이다.

9. $(x-2)(x-6) > 0$의 해는 $x < 2$ 또는 $x > 6$ 이다.

10. $x^2 - 7x + 10 \leq 0$을 인수분해하면
$(x-2)(x-5) \leq 0$ 이다.
따라서 $2 \leq x \leq 5$ 이다.

11. $x^2 - 3x - 18 \geq 0$을 인수분해하면
$(x+3)(x-6) \geq 0$ 이다.
따라서 $x \leq -3$ 또는 $x \geq 6$ 이다.

12. $x^2 + 11x + 18 > 0$을 인수분해하면
$(x+2)(x+9) > 0$이므로 해는
$x < -9$ 또는 $x > -2$ 이다.

13. $x^2 + 3x - 10 \leq 0$을 인수분해하면
$(x-2)(x+5) \leq 0$ 이다.
따라서 $-5 \leq x \leq 2$ 이다.

14. $x^2 - 2x - 8 < 0$을 인수분해하면
$(x+2)(x-4) < 0$ 이다.
따라서 $-2 < x < 4$ 이다. 만족하는 정수 x는
$-1, 0, 1, 2, 3$ 이다.

15. $x^2 - x - 6 \leq 0$을 인수분해하면
$(x+2)(x-3) \leq 0$ 이다.
따라서 $-2 \leq x \leq 3$ 이다. 만족하는 정수 x는
$-2, -1, 0, 1, 2, 3$ 이다.

16. $x^2 + ax + b < 0$의 해가 $2 < x < 3$인 이차부등
식은 $(x-2)(x-3) < 0$ 이다.
따라서 $x^2 - 5x + 6 < 0$ 이다. $a = -5$, $b = 6$

17. $\begin{cases} x < 6 \\ (x-1)(x-8) < 0 \end{cases}$
위의 두 부등식을 동시에 만족하는 x의 범위는
$1 < x < 6$이다.

18. $\begin{cases} (x+2)(x-5) < 0 \\ (x-2)(x-8) < 0 \end{cases}$
위의 두 부등식을 동시에 만족하는 x의 범위는
$2 < x < 5$이다.

19. $\begin{cases} 2x + 1 < 7 \\ x^2 - 5x - 6 \leq 0 \end{cases}$
위의 두 부등식을 정리하면 $\begin{cases} x < 3 \\ (x+1)(x-6) \leq 0 \end{cases}$
이다.
부등식을 동시에 만족하는 x의 범위는
$-1 \leq x < 3$ 이다.

20. 연립부등식 $\begin{cases} 3x - 2 > 4 \\ (x+1)(x-5) < 0 \end{cases}$ 을 동시에 만족하는 x의 범위는 $2 < x < 5$ 이다.
따라서 $a = 2$, $b = 5$

09. 점과 직선

1. ④	2. ①	3. ④	4. ④	5. ③
6. ①	7. ①	8. ②	9. ③	10. ③
11. ③	12. ④	13. ①	14. ③	15. ④
16. ③	17. ④	18. ①	19. ②	20. ④

1. 두 점 사이의 거리
$\overline{AB} = \sqrt{(x\text{의 차이})^2 + (y\text{의 차이})^2}$
$\sqrt{(3-1)^2 + (5-2)^2}$
$= \sqrt{4+9} = \sqrt{13}$

2. 선분 AB의 길이
$\overline{AB} = \sqrt{(x\text{의 차이})^2 + (y\text{의 차이})^2}$
$\sqrt{(5-2)^2 + (6-3)^2}$
$= \sqrt{9+9} = \sqrt{18} = 3\sqrt{2}$

3. 두 점 사이의 거리
$\overline{AB} = \sqrt{(x\text{의 차이})^2 + (y\text{의 차이})^2}$
$\sqrt{(3-(-2))^2 + (-1-3)^2}$
$= \sqrt{25+16} = \sqrt{41}$

4. 두 점 사이의 거리
$\overline{AB} = \sqrt{(x\text{의 차이})^2 + (y\text{의 차이})^2}$
$\sqrt{(4-(-1))^2 + (10-(-2))^2}$
$= \sqrt{25+144} = \sqrt{169} = 13$

5. 선분 AB의 길이
$\overline{AB} = \sqrt{(x\text{의 차이})^2 + (y\text{의 차이})^2}$
$\sqrt{(2-(-1))^2 + (1-4)^2}$
$= \sqrt{9+9} = \sqrt{18} = 3\sqrt{2}$

6. $\overline{AB}$ 의 중점의 좌표
$\left(\dfrac{x\text{의 합}}{2}, \dfrac{y\text{의 합}}{2} \right) = \left(\dfrac{2+6}{2}, \dfrac{4+8}{2} \right) = (4, 6)$

7. $\overline{AB}$ 의 중점의 좌표
$\left(\dfrac{x\text{의 합}}{2}, \dfrac{y\text{의 합}}{2} \right) = \left(\dfrac{1+1}{2}, \dfrac{1+3}{2} \right) = (1, 2)$

8. $\overline{AB}$ 의 중점의 좌표

$\left(\dfrac{x\text{의 합}}{2},\ \dfrac{y\text{의 합}}{2} \right)$

$= \left(\dfrac{(-1) + (-3)}{2},\ \dfrac{(-4) + (-2)}{2} \right) = (-2,\ -3)$

9. $\overline{AB}$ 의 중점의 좌표

$\left(\dfrac{x\text{의 합}}{2},\ \dfrac{y\text{의 합}}{2} \right)$

$= \left(\dfrac{4 + 1}{2},\ \dfrac{(-1) + 5}{2} \right) = \left(\dfrac{5}{2},\ 2 \right)$

10. $\overline{AB}$ 의 중점의 좌표

$\left(\dfrac{x\text{의 합}}{2},\ \dfrac{y\text{의 합}}{2} \right) = \left(\dfrac{3 + 9}{2},\ \dfrac{1 + 9}{2} \right) = (6,\ 5)$

11. $\left(\dfrac{2 + a}{2},\ \dfrac{4 + b}{2} \right) = (3,\ 5)$

12. $\dfrac{3 \times 10 + 1 \times 2}{3 + 1} = 8$

13. $\dfrac{3 \times 11 + 2 \times (-4)}{3 + 2} = 5$

14. $\dfrac{3 \times 5 - 1 \times 1}{3 - 1} = 7$

15. $\dfrac{3 \times 6 - 2 \times 4}{3 - 2} = 10$

16. $\left(\dfrac{3 \times 9 + 2 \times 4}{3 + 2},\ \dfrac{3 \times 15 + 2 \times 5}{3 + 2} \right)$

$= \left(\dfrac{35}{5},\ \dfrac{55}{5} \right) = (7,\ 11)$

17. $\left(\dfrac{1 \times 7 + 3 \times (-1)}{1 + 3},\ \dfrac{1 \times 7 + 3 \times 3}{1 + 3} \right)$

$= \left(\dfrac{4}{4},\ \dfrac{16}{4} \right) = (1,\ 4)$

18. $\left(\dfrac{2 \times 3 - 1 \times 1}{2 - 1},\ \dfrac{2 \times 7 - 1 \times 4}{2 - 1} \right)$

$= \left(\dfrac{5}{1},\ \dfrac{10}{1} \right) = (5,\ 10)$

19. $\left(\dfrac{3 \times 8 - 2 \times 5}{3 - 2},\ \dfrac{3 \times 3 - 2 \times 2}{3 - 2} \right)$

$= \left(\dfrac{14}{1},\ \dfrac{5}{1} \right) = (14,\ 5)$

20. 내분점 P는

$\left(\dfrac{2 \times 3 + 3 \times 8}{2 + 3},\ \dfrac{2 \times 1 + 3 \times (-4)}{2 + 3} \right)$

$= \left(\dfrac{30}{5},\ \dfrac{-10}{5} \right) = (6,\ -2)$

외분점 Q는 $\left(\dfrac{2 \times 3 - 3 \times 8}{2 - 3},\ \dfrac{2 \times 1 - 3 \times (-4)}{2 - 3} \right)$

$\qquad\qquad = \left(\dfrac{-18}{-1},\ \dfrac{14}{-1} \right) = (18,\ -14)$

이다.

선분 PQ의 중점의 좌표는

$\left(\dfrac{x\text{의 합}}{2},\ \dfrac{y\text{의 합}}{2} \right) = \left(\dfrac{6 + 18}{2},\ \dfrac{-2 + (-14)}{2} \right)$

$= (12,\ -8)$

10. 직선의 방정식

1. ④	2. ④	3. ③	4. ④	5. ③
6. ②	7. ②	8. ③	9. ②	10. ③
11. ④	12. ②	13. ①	14. ①	15. ①
16. ③	17. ③	18. ③	19. ④	20. ②

1. 점 $(1,\ 5)$를 대입하면 성립한다.

2. 점 $(2,\ 5)$를 대입하면 성립하지 않는다.

3. $y = -2x + 3$

4. 기울기가 2인 식 $y = 2x + b$에 $(1,\ 4)$를 대입하면
$b = 2$, 따라서 $y = 2x + 2$

5. 직선의 기울기는 $\dfrac{7 - 1}{4 - 2} = 3$ 이다.

6. $(1,\ 3)$과 $(2,\ 5)$를 지나는 직선의 기울기는
$\dfrac{5 - 3}{2 - 1} = 2$ 이다.
기울기가 2인 식 $y = 2x + b$에 $(1,\ 3)$을 대입하면
$b = 1$, 따라서 $y = 2x + 1$

7. $(3, 8)$과 $(1, 6)$을 지나는 직선의 기울기는
$\dfrac{6-8}{1-3}=1$ 이다.
기울기가 1인 식 $y=x+b$에 $(1, 6)$을 대입하면
$b=5$, 따라서 $y=x+5$

8. $(3, 0)$과 $(0, 3)$을 지나는 직선

9. $a<0$, $b>0$ (감소하며 y절편이 0보다 크다.)

10. $a>0$, $b<0$ (증가하며 y절편이 0보다 작다.)

11. 기울기 2, y절편 -2

12. 기울기 3, y절편 -3

13. 주어진 직선은 x축에 평행한 직선이므로 기울기가 0이다. y절편은 3이므로 $y=3$ 이다.

14. 평행은 기울기가 같다.

15. $y=3x-3$과 평행이므로 기울기가 3인 직선 중 $(0, 2)$를 지나는 직선

16. $y=2x-3$과 평행이므로 기울기가 2인 직선 중 $(1, 5)$를 지나는 직선

17. $y=-\dfrac{1}{3}x+2$와 수직이므로 기울기가 3인 직선

18. $y=-2x+2$와 수직이므로 기울기가 $\dfrac{1}{2}$인 직선 중 $(0, 3)$을 지나는 직선

19. 직선 $5x+y+1=0$을 정리하면 $y=-5x-1$

20. 직선 $4x+y+1=0$을 정리하면
$y=-4x-1$

11. 원의 방정식

1. ①	2. ④	3. ①	4. ③	5. ②
6. ②	7. ④	8. ③	9. ①	10. ②
11. ②	12. ④	13. ④	14. ①	15. ④
16. ④	17. ③	18. ①	19. ③	20. ②

1. $x^2+y^2=1$

2. $x^2+y^2=4$

3. 원의 방정식에서 중심은 부호반대, 반지름은 제곱이다. $(x-2)^2+(y-3)^2=16$

4. 원의 방정식에서 중심은 부호반대, 반지름은 제곱이다. $(x-2)^2+(y+5)^2=9$

5. 중심 $(3, 1)$, 반지름 6

6. 중심 $(-1, -2)$, 반지름 3

7. 중심 $(-2, 3)$, 반지름 $\sqrt{10}$

8. $x^2+y^2+2x+4y+1=0$을 표준형으로 고치면 $(x+1)^2+(y+2)^2=4$ 이다. 중심 $(-1, -2)$, 반지름 2이다.

9. $x^2+y^2+6x+4y+12=0$을 표준형으로 고치면 $(x+3)^2+(y+2)^2=1$ 이다. 중심 $(-3, -2)$, 반지름 1이다.

10. $x^2+y^2-4x-2y+1=0$을 표준형으로 고치면 $(x-2)^2+(y-1)^2=4$ 이다. 중심 $(2, 1)$, 반지름 2이다.

11. $x^2+y^2-6x+8y-11=0$을 표준형으로 고치면 $(x-3)^2+(y+4)^2=36$ 이다. 중심 $(3, -4)$, 반지름 6이다. 따라서 $a=3$, $b=-4$, $r=6$이다.

12. x축에 접하는 원의 반지름은 중심의 y좌표이다.

13. x축에 접하는 원의 반지름은 중심의 y좌표이다. $(x-3)^2+(y+2)^2=4$

14. y축에 접하는 원의 반지름은 중심의 x좌표이다. $(x-3)^2+(y+4)^2=9$

15. y축에 접하는 원의 반지름은 중심의 x좌표이다. $(x-2)^2+(y-3)^2=4$

16. 원의 식에 $(0, 0)$을 대입한다.
$(x+1)^2+(y+3)^2=r^2$
$\Rightarrow (0+1)^2+(0+3)^2=r^2$
따라서 $r^2=10$

17. 원의 식에 $(0, 0)$을 대입한다.
$(x - 4)^2 + (y - 3)^2 = r^2$
$\Rightarrow (0 - 4)^2 + (0 - 3)^2 = r^2$
따라서 $r^2 = 25$

18. 원의 식에 $(1, 1)$을 대입한다.
$(x + 4)^2 + (y + 1)^2 = r^2$
$\Rightarrow (1 + 4)^2 + (1 + 1)^2 = r^2$
따라서 $r^2 = 29$

19. 원의 중심을 찾는다. (중점 공식이용)
중심은 $\left(\dfrac{1 + 3}{2}, \dfrac{5 + 9}{2} \right) = (2, 7)$

20. 원의 중심을 찾는다. (중점 공식이용)
중심은 $\left(\dfrac{1 + 3}{2}, \dfrac{1 + 3}{2} \right) = (2, 2)$

12. 도형의 이동

1. ①	2. ①	3. ③	4. ④	5. ②
6. ②	7. ③	8. ③	9. ①	10. ②
11. ③	12. ③	13. ②	14. ③	15. ②
16. ①	17. ④	18. ③	19. ①	20. ①

1. $A(1, 2)$를 x축의 방향으로 -2만큼, y축의 방향으로 3만큼 평행이동한 점의 좌표는 $(-1, 5)$이다.

2. 좌표평면 위의 점 $(2, 2)$를 x축의 방향으로 5만큼, y축의 방향으로 3만큼 평행이동한 점 P'의 좌표는 $(7, 5)$이다.

3. $(4 + 1, 3 + 2) = (5, 5)$

4. $(-4 + 5, 0 + 2) = (1, 2)$

5. $(-2 + 5, -3 + 4) = (3, 1)$

6. $x^2 + y^2 = 6$을 x축의 방향으로 2만큼, y축의 방향으로 -5만큼 평행이동하면
$(x - 2)^2 + (y + 5)^2 = 6$ 이다.

(식의 평행이동은 부호반대로 대입)

7. $x^2 + y^2 = 4$를 x축의 방향으로 1만큼, y축의 방향으로 2만큼 평행이동하면
$(x - 1)^2 + (y - 2)^2 = 4$ 이다.
(식의 평행이동은 부호반대로 대입)

8. $y = x^2$을 x축의 방향으로 3만큼, y축의 방향으로 1만큼 평행이동하면 $y - 1 = (x - 3)^2$ 이다. 이를 정리하면 $y = (x - 3)^2 + 1$ 이다. (식의 평행이동은 부호반대로 대입)

9. 이차함수 $y = x^2$을 x축의 방향으로 -1만큼, y축의 방향으로 2만큼 평행이동하면
$y - 2 = (x + 1)^2$ 이다.
이를 정리하면 $y = (x + 1)^2 + 2$ 이다.
(식의 평행이동은 부호반대로 대입)

10. 이차함수 $y = 3x^2$을 x축의 방향으로 2만큼, y축의 방향으로 -3만큼 평행이동하면
$y = 3(x - 2)^2 - 3$ 이다.

11. x축에 대한 대칭이동은 y값만 부호반대이다.

12. y축에 대한 대칭이동은 x값만 부호반대이다.

13. 원점에 대한 대칭이동은 x, y 둘다 부호반대이다.

14. $y = x$에 대한 대칭이동은 자리바꿈이다.

15. x축에 대한 대칭이동은 y값만 부호반대이다.

16. y축에 대한 대칭이동은 x값만 부호반대이다.

17. 원점에 대한 대칭이동은 x, y 둘다 부호반대이다.

18. $y = x$에 대한 대칭이동은 자리바꿈이다.

19. 좌표평면 위의 점 $(2, 1)$을 y축에 대하여 대칭이동하면 $(-2, 1)$ 다시 직선 $y = x$에 대하여 대칭이동하면 $(1, -2)$이다.

20. x축에 대한 대칭이동은 y값만 부호반대이므로 $(x-2)^2 + (y-1)^2 = 1$을 x축에 대하여 대칭이동하면 $(x-2)^2 + (y+1)^2 = 1$이다.

13. 집합

1. ④	2. ③	3. ③	4. ②	5. ①
6. ③	7. ④	8. ④	9. ④	10. ②
11. ①	12. ③	13. ④	14. ③	15. ③
16. ①	17. ②	18. ③	19. ③	20. ④

1. 기준이 명확한 모임
④ 5보다 작은 자연수들의 모임

2. ③ $0 \notin A$

3. $3 \notin A$

4. ② $\{2, 6\} \subset A$

5. 6의 약수 $= \{1, 2, 3, 6\}$

6. $A = \{1, 3, 9\}$의 부분집합의 개수는 2^3

7. $A \cup B = \{1, 2, 3, 4, 5\}$

8. $A = \{2, 3, 5\}$, $B = \{1, 3, 5\}$이면
$A \cup B = \{1, 2, 3, 5\}$

9. $A \cap B = \{2, 4\}$

10. $A^c = \{2, 4\}$

11. $B^c = \{1, 9\}$

12. $A - B = \{3, 5, 7\}$

13. $A - B = A \cap B^c$

14. $A \cap B^c = A - B = \{1, 2\}$

15. ① $A \cap B = \{5\}$ ② $A \cup B = \{1, 2, 3, 4, 5, 7\}$
③ $A - B = \{2, 4\}$ ④ $B - A = \{1, 3, 7\}$

16. $A \cup B$

17. $A \cap B$

18. $A = \{5, 6, 7, 8, 9\}$

19. $n(A \cup B) = n(A) + n(B) - n(A \cap B)$

20. $n(A \cup B) = n(A) + n(B) - n(A \cap B)$

14. 명제

1. ②	2. ③	3. ④	4. ③	5. ④
6. ①	7. ②	8. ③	9. ③	10. ④
11. ③	12. ①	13. ③	14. ②	15. ②
16. ②	17. ①	18. ①	19. ③	20. ③

1. ② '$x + 1 > 4$이다.'는 x에 따라 참, 거짓이 바뀌므로 명제가 아니다.

2. ③ '$3 + 1 > 2$이다.'는 참인 명제이다.

3. '$2x + 1 = 3$'은 명제가 아닌 조건

4. ③ '$x = 1$이면 $x^2 = 1$이다.'는 참인 명제이다.

5. 4의 배수 $\subset$ 2의 배수

6. "역"은 자리 바꿈
① $p \to {\sim}q$

7. "대우"는 역 + 부정
② ${\sim}p \to q$

8. "역"은 자리 바꿈

9. "역"은 자리 바꿈
③ $a = 0$ 또는 $b = 0$ 이면 $ab = 0$이다.

10. "대우"는 역 + 부정
④ $x^2 \neq 1$이면 $x \neq 1$이다.

11. 명제가 참일 때, 반드시 참인 명제는 "대우"
③ ${\sim}q \to {\sim}p$

12. "역"은 자리 바꿈, "대우"는 자리 바꿈 + 부정

13. 명제가 참일 때, 항상 참인 명제는 "대우"
③ $b \leq 0$이면 $a \leq 0$이다.

14. 명제가 참이 아닐 때, 반드시 참이 아닌 명제도 "대우" ② $q \rightarrow p$

15. $x = 1$의 진리집합이 $x^2 = 1$의 진리집합에 속하므로 "충분조건"이다.

16. 조건 p의 진리집합이 조건 q의 진리집합에 속하므로 "충분조건"이다.

17. $x^2 = 9$의 진리집합이 $x = 3$의 진리집합을 포함하므로 "필요조건"이다.

18. $0 \leq x \leq 5$의 진리집합이 $1 \leq x \leq 3$의 진리집합을 포함하므로 "필요조건"이다.

19. 두 조건이 같은 조건이면 "필요충분조건"이다.

20. 두 조건이 같은 조건이면 "필요충분조건"이다.

15. 함수

1. ④	2. ③	3. ④	4. ①	5. ④
6. ③	7. ②	8. ①	9. ④	10. ②
11. ②	12. ①	13. ④	14. ①	15. ③
16. ①	17. ④	18. ②	19. ②	20. ②

1. X의 모든 원소가 한 개씩 Y의 원소를 선택해야 함수이다.

2. X의 모든 원소가 한 개씩 Y의 원소를 선택해야 함수이다. ③ 대응표는 X의 원소 2때문에 함수가 아니다.

3. 상수함수는 모든 X의 원소가 같은 것을 선택한 함수

4. 세로선과 한점에서 만나야 함수 그래프이다.

5. 함수가 아닌 것은 ④번 그래프이다. (세로선과 두 점에서 만남)

6. $f(1) = 5$, $g(3) = 1$

7. $f(2) = 7$이므로 $a = 2$이다.

8. $f(1) = 2 \times 1 + 3 = 5$

9. $f(2) = 3 \times 2 - 2 = 4$

10. $f(3) = c$, $g(c) = 4$

11. $f(1) = b$이고, $g(b) = 4$이므로 $(g \circ f)(1) = 4$이다.

12. $g(1) = 5 \times 1 - 3 = 2$, $f(2) = 2 + 2 = 4$

13. $g(3) = 2 \times 3 - 1 = 5$, $f(5) = -5 + 7 = 2$

14. $f(2) = 2 \times 2 - 5 = -1$,
$g(-1) = -3 \times (-1) + 1 = 4$

15. $g(1) = -1 + 3 = 2$, $f(2) = 2 \times 2 - 3 = 1$

16. $f(2) = 2 \times 2 + 3 = 7$, $f(7) = 2 \times 7 + 3 = 17$

17. $f^{-1}(3) = 2$, $f(3) = 4$

18. $x + 3 = 6$

19. $2x + 3 = 5$

20. $f(2) = 3 \times 2 - 2 = 4$, $f^{-1}(4)$는 $3x - 2 = 4$, 따라서 $f^{-1}(4) = 2$

16. 유리함수 / 무리함수

1. ①	2. ②	3. ①	4. ④	5. ①
6. ④	7. ②	8. ②	9. ②	10. ②
11. ③	12. ②	13. ①	14. ①	15. ④
16. ③	17. ④	18. ④	19. ①	20. ④

1. $y = \dfrac{1}{x-1} + 2$의 점근선의 방정식은
$x = 1$, $y = 2$이다.

2. $y = \dfrac{-1}{x+1} + 2$의 점근선의 방정식은
$x = -1$, $y = 2$이다.

3. $y = \dfrac{-3}{x-1} + 4$의 점근선의 방정식은
$x = 1$, $y = 4$이다.

4. $y = \dfrac{3}{x+1} - 2$의 점근선의 방정식은
$x = -1$, $y = -2$이다.

5. $y = \dfrac{2x+1}{x-1}$의 점근선의 방정식은
$x = 1$, $y = 2$이다.

6. $y = \dfrac{-x+1}{x+2}$의 점근선의 방정식은
$x = -2$, $y = -1$이다.

7. $y = \dfrac{1}{x+2} + 1$의 점근선의 방정식은 $x = -2$, $y = 1$이다. 분자가 양수이므로 제 1, 3사분면 방향으로 쌍곡선이다.

8. $y = \dfrac{-1}{x-1} - 2$의 점근선의 방정식은 $x = 1$, $y = -2$이다. 분자가 음수이므로 제 2, 4사분면 방향으로 쌍곡선이다.

9. 점근선의 방정식은 $x = 1$, $y = -2$이고 1, 3사분면 방향이므로 분자가 양수이다.

10. 무리함수의 그래프는 다음 그림이다.

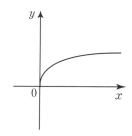

11. $y = -\sqrt{x}$의 그래프의 방향은 아래 / 오른쪽이다.

12. 시작점 $(1, 0)$이고 위 / 오른쪽 방향이다.

13. 시작점 $(-1, 1)$이고 위 / 오른쪽 방향이다.

14. 시작점 $(-5, -3)$

15. 시작점 $(1, 1)$, 방향은 위 / 왼쪽 이다.

16. 무리함수 $y = -\sqrt{-x+2} - 2$의 그래프는 시작점 $(2, -2)$, 방향은 아래 / 왼쪽이다.

17. 무리함수 $y = \sqrt{x-2} + 3$의 정의역은
$x - 2 \geq 0$이다.

18. 유리함수에 $(2, 1)$을 대입하면 $1 = \dfrac{2 \times 2 + k}{2 - 1}$
이다. 따라서 $k = -3$이다.

19. 무리함수에 $(3, 4)$를 대입하면 $4 = \sqrt{3-2} + k$
이다. 따라서 $k = 3$이다.

20. 무리함수에 $(1, 2)$를 대입하면 $2 = \sqrt{k \times 1}$ 이다. 따라서 $k = 4$이다.

17. 경우의 수

1. ②	2. ②	3. ①	4. ④	5. ②
6. ④	7. ④	8. ①	9. ①	10. ①
11. ④	12. ③	13. ④	14. ④	15. ①
16. ①	17. ④	18. ③	19. ③	20. ④

1. 참고서 5종류와 소설책 3종류 중에서 한 종류의 책을 구입하는 방법의 수는 $5 + 3 = 8$

2. 음료를 택하는 경우는 4가지
과자를 택하는 경우는 3가지이므로 구하는 경우의 수는 $4 + 3 = 7$

3. 3의 배수가 나오는 경우의 수는 3, 5의 배수가 나오는 경우의 수는 2이고 두 사건은 동시에 일어날 수 없으므로 3 또는 5의 배수가 나오는 경우의 수는 $3 + 2 = 5$

4. 동전 한 개와 주사위 한 개를 동시에 던질 때, 나

올 수 있는 경우의 수는 $2 \times 6 = 12$

5. $A \to C$ 인 경우는 2가지,
$C \to B$인 경우는 3가지
이므로 A지점에서 B지점으로 가는 방법의 수는
$2 \times 3 = 6$

6. A도시에서 B도시로 가는 방법은 3가지, B도시에서 C도시로 가는 방법은 4가지이므로 구하는 방법의 수는 $3 \times 4 = 12$

7. 공책을 고르는 방법은 5가지이고, 그 각각에 대하여 연필을 고르는 방법이 3가지이므로 공책과 연필을 각각 하나씩 구입하는 방법의 수는 $5 \times 3 = 15$

8. 두 자리의 자연수 중에서 십의 자리의 숫자가 2의 배수인 경우는 2, 4, 6, 8의 4가지, 일의 자리의 숫자가 홀수인 경우는 1, 3, 5, 7, 9의 5가지이므로 구하는 두 자리의 자연수의 개수는 $4 \times 5 = 20$

9. $_5P_2 = (5 \times 4) = 20$

10. $_6P_3 = (6 \times 5 \times 4) = 120$

11. $4! = (4 \times 3 \times 2 \times 1) = 24$

12. 8명의 선수 중 2명의 선수를 택하는 순열의 수이므로 $_8P_2 = 8 \times 7 = 56$

13. 서로 다른 4개에서 2개를 뽑아 일렬로 배열하는 방법의 수와 같으므로 $_4P_2 = 4 \times 3 = 12$

14. 서로 다른 5개에서 3개를 뽑아 일렬로 배열하는 방법의 수와 같으므로 $_5P_3 = 5 \times 4 \times 3 = 60$

15. 서로 다른 6개에서 2개를 뽑아 일렬로 배열하는 방법의 수와 같으므로 $_6P_2 = 6 \times 5 = 30$

16. $_9C_2 = \dfrac{9 \times 8}{2 \times 1} = 36$

17. $_4C_4 = \dfrac{4 \times 3 \times 2 \times 1}{4 \times 3 \times 2 \times 1} = 1$

18. $_{10}P_2 = 10 \times 9 = 90$, $_{10}C_2 = \dfrac{10 \times 9}{2 \times 1} = 45$,
$3! = 3 \times 2 \times 1 = 6$

19. 서로 다른 8개에서 순서를 생각하지 않고 2개를 택하는 방법의 수와 같으므로
$_8C_2 = \dfrac{8 \times 7}{2 \times 1} = 28$

20. 12명 중에서 부회장 2명을 뽑는 방법의 수는
$_{12}C_2 = \dfrac{12 \times 11}{2 \times 1} = 66$

실전모의고사

01. 실전모의고사

1. ①	2. ①	3. ④	4. ①	5. ③
6. ①	7. ③	8. ①	9. ②	10. ②
11. ④	12. ②	13. ②	14. ②	15. ③
16. ③	17. ④	18. ①	19. ①	20. ①

1. $(3x - 2y) + (x - 2y) = 4x - 4y$

2. $AB = (4x + 2)(2x - 5)$
$= 8x^2 - 20x + 4x - 10 = 8x^2 - 16x - 10$

3. 양변에 $x = 3$을 대입하면
$(3 + 2)^2 = (3 - 3)^2 + 10 \times (3 - 3) + a$ 이므로
$a = 25$이다.

4. $x = -1$를 대입하면
$= (-1)^2 + 2 \times (-1) - 3$
$= 1 - 2 - 3$
$= -4$

5. $(1 - 5i) + (3 + 4i) = 4 - i$이므로
$a = 4$, $b = -1$이다.

6. $\alpha + \beta = -5$, $\alpha\beta = 7$

7. ($\Rightarrow x$좌표 : 공식 $x = -\dfrac{b}{2a} = -\dfrac{4}{2 \times 1} = -2$)

($\Rightarrow y$좌표 : x좌표를 식에 대입

$= (-2)^2 + 4 \times (-2) + 2 = -2$)

주어진 이차함수는 $x = -2$일 때,

최솟값 -2를 갖는다.

8. 연립방정식 $\begin{cases} x + y = 9 \\ x - y = a \end{cases}$의 주어진 해

$x = 5$, $y = b$를 대입하면

$\begin{cases} 5 + b = 9 \\ 5 - b = a \end{cases}$ 이므로 $b = 4$이고, $a = 1$이다.

9. $|x - 1| \leq 4$의 해는 $-3 \leq x \leq 5$이므로 수직선에 나타내면

이다.

10. 선분 AB의 길이

$\overline{AB} = \sqrt{(x의\ 차이)^2 + (y의\ 차이)^2}$

$\sqrt{(5-1)^2 + (6-3)^2} = \sqrt{16+9} = \sqrt{25} = 5$

11. $\overline{AB}$ 의 중점의 좌표

$\left(\dfrac{x의\ 합}{2}, \dfrac{y의\ 합}{2} \right) = \left(\dfrac{3+7}{2}, \dfrac{1+9}{2} \right) = (5, 5)$

12. 기울기 2, y절편 -4

13. 원의 식에 $(0, 0)$을 대입한다.

$(x-1)^2 + (y-3)^2 = r^2$

$\Rightarrow (0-1)^2 + (0-3)^2 = r^2$

따라서 $r^2 = 10$

14. $(-1+5, 0+2) = (4, 2)$

15. 좌표평면 위의 점 $(2, 1)$을 x축에 대하여 대칭이동하면 $(2, -1)$ 다시 원점에 대하여 대칭이동하면 $(-2, 1)$이다.

16. $A - B = \{1, 3, 5\}$

17. "대우"는 역 + 부정

18. $f(1) = 4$이므로 $a = 1$이다.

19. 점근선의 방정식은 $x = -2$, $y = 1$이고 제 2, 4

사분면 방향이므로 분자가 음수이다.

20. 서로 다른 5개에서 2개를 뽑아 일렬로 배열하는 방법의 수와 같으므로

$_5P_2 = 5 \times 4 = 20$

02. 실전모의고사

1. ③	2. ①	3. ③	4. ④	5. ①
6. ①	7. ④	8. ①	9. ②	10. ②
11. ②	12. ②	13. ③	14. ②	15. ①
16. ②	17. ②	18. ①	19. ③	20. ①

1. $A + 2B = (-2x + 4) + 2(3x + 1) = -2x + 4 + 6x + 2 = 4x + 6$

2. 좌변을 전개하면 $(x + 3)(x + 1) = x^2 + 4x + 3$ 이므로 $a = 4$이다.

3. $x = 2$를 대입하면

$3(2)^2 - 2 \times (2) + k = 0$ 따라서 $k = -8$

4. $x^2 + y^2 = (x + y)^2 - 2xy = 5^2 - 2 \times 4 = 17$

5. $(1 + 3i)(2 + i) = 2 + i + 6i + 3i^2 = -1 + 7i$

6. $\dfrac{1}{\alpha} + \dfrac{1}{\beta} = \dfrac{\alpha + \beta}{\alpha\beta} = \dfrac{-3}{-2} = \dfrac{3}{2}$

7. 주어진 함수는 $x = 5$일 때, 최댓값 19를 갖는다.

8. 연립방정식 $\begin{cases} x + y = a \\ xy = b \end{cases}$에 주어진 해

$x = 1$, $y = 4$를 대입하면

$\begin{cases} 1 + 4 = a \\ 1 \times 4 = b \end{cases}$ 이므로 $a = 5$이고, $b = 4$이다.

9. $x^2 - 3x - 18 \leq 0$을 인수분해하면

$(x + 3)(x - 6) \leq 0$ 이다.

따라서 $-3 \leq x \leq 6$ 이다.

10. $\left(\dfrac{1 \times 6 + 3 \times (-2)}{1 + 3}, \dfrac{1 \times 7 + 3 \times 3}{1 + 3} \right)$

$= \left(\dfrac{0}{4}, \dfrac{16}{4} \right) = (0, 4)$

11. $y = -4x + 2$와 수직이므로 기울기가 $\dfrac{1}{4}$인 직선 중 $(0, 1)$을 지나는 직선

12. y축에 접하는 원의 반지름은 중심의 x좌표이다.
$(x - 3)^2 + (y + 2)^2 = 9$

13. 원점에 대한 대칭이동은 x, y 둘 다 부호반대이므로 $(x - 2)^2 + (y - 1)^2 = 1$을 원점에 대하여 대칭이동 하면 $(x + 2)^2 + (y + 1)^2 = 1$이다.

14. $B \cap A^c = B - A = \{4, 5\}$

15. 역 : 자리바꿈

16. $f(1) = 2 \times 1 + 3 = 5$, $f(5) = 2 \times 5 + 3 = 13$

17. $y = \dfrac{-1}{x + 1} + 2$의 점근선의 방정식은 $x = -1$, $y = 2$이다.

18. 무리함수에 $(2, 5)$를 대입하면 $5 = \sqrt{2 + 2} + k$이다. 따라서 $k = 3$이다.

19. $_6P_2 = 6 \times 5 = 30$, $_6C_2 = \dfrac{6 \times 5}{2 \times 1} = 15$

20. 7명 중에서 대표 2명을 뽑는 방법의 수는
$_7C_2 = \dfrac{7 \times 6}{2 \times 1} = 21$

수학

인쇄일	2024년 6월 4일
발행일	2024년 6월 11일
펴낸이	(주)매경아이씨
펴낸곳	도서출판 국자감
지은이	편집부
주소	서울시 영등포구 문래2가 32번지
전화	1544-4696
등록번호	2008.03.25 제 300-2008-28호
ISBN	979-11-5518-124-9 13370

국자감 전문서적

기초다지기 / 기초굳히기

"기초다지기, 기초굳히기 한권으로 시작하는 검정고시 첫걸음"

· 기초부터 차근차근 시작할 수 있는 교재
· 기초가 없어 시작을 망설이는 수험생을 위한 교재

기본서

"단기간에 합격! 효율적인 학습!
 적중률 100%에 도전!"

· 철저하고 꼼꼼한 교육과정 분석에서 나온 탄탄한 구성
· 한눈에 쏙쏙 들어오는 내용정리
· 최고의 강사진으로 구성된 동영상 강의

만점 전략서

"검정고시 합격은 기본! 고득점과 대학진학은 필수!"

· 검정고시 고득점을 위한 유형별 요약부터
  문제풀이까지 한번에
· 기본 다지기부터 단원 확인까지 실력점검

핵심 총정리

"시험 전 총정리가 필요한 이 시점! 모든 내용이 한눈에"

· 단 한권에 담아낸 완벽학습 솔루션
· 출제경향을 반영한 핵심요약정리

합격길라잡이

"개념 4주 다이어트, 교재도 다이어트한다!"

· 요점만 정리되어 있는 교재로 단기간 시험범위 완전정복!
· 합격길라잡이 한권이면 합격은 기본!

기출문제집

"시험장에 있는 이 기분! 기출문제로 시험문제 유형 파악하기"

· 기출을 보면 답이 보인다
· 차원이 다른 상세한 기출문제풀이 해설

예상문제

"오랜기간 노하우로 만들어낸 신들린 입시고수들의 예상문제"

· 출제 경향과 빈도를 분석한 예상문제와 정확한 해설
· 시험에 나올 문제만 예상해서 풀이한다

| 한양 시그니처 관리형 시스템 |

#정서케어 #학습케어 #생활케어

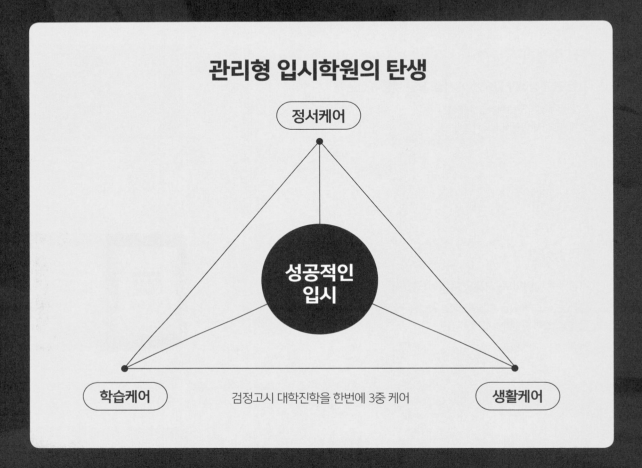

관리형 입시학원의 탄생

정서케어

성공적인
입시

학습케어

생활케어

검정고시 대학진학을 한번에 3중 케어

정서케어

· 3대1 멘토링
 (입시담임, 학습담임, 상담교사)
· MBTI (성격유형검사)
· 심리안정 프로그램
 (아이스브레이크, 마인드 코칭)
· 대학탐방을 통한 동기부여

학습케어

· 1:1 입시상담
· 수준별 수업제공
· 전략과목 및 취약과목 분석
· 성적 분석 리포트 제공
· 학습플래너 관리
· 정기 모의고사 진행
· 기출문제 & 해설강의

생활케어

· 출결점검 및 조퇴, 결석 체크
· 자습공간 제공
· 쉬는 시간 및 자습실
 분위기 관리
· 학원 생활 관련 불편사항
 해소 및 학습 관련 고민 상담

HANYANG
A C A D E M Y

| 한양 프로그램 한눈에 보기 |

· 검정고시반　중·고졸 검정고시 수업으로 한번에 합격!

기초개념	기본이론	핵심정리	핵심요약	파이널
개념 익히기	과목별 기본서로 기본 다지기	핵심 총정리로 출제 유형 분석 경향 파악	요약정리 중요내용 체크	실전 모의고사 예상문제 기출문제 완성

· 고득점관리반　검정고시 합격은 기본 고득점은 필수!

기초개념	기본이론	심화이론	핵심정리	핵심요약	파이널
전범위 개념익히기	과목별 기본서로 기본 다지기	만점 전략서로 만점대비	핵심 총정리로 출제 유형 분석 경향 파악	요약정리 중요내용 체크 오류범위 보완	실전 모의고사 예상문제 기출문제 완성

· 대학진학반　고졸과 대학입시를 한번에!

기초학습	기본학습	심화학습/검정고시 대비	핵심요약	문제풀이, 총정리
기초학습과정 습득 학생별 인강 부교재 설정	진단평가 및 개별학습 피드백 수업방향 및 난이도 조절 상담	모의평가 결과 진단 및 상담 4월 검정고시 대비 집중수업	자기주도 과정 및 부교재 재설정 4월 검정고시 성적에 따른 재시험 및 수시컨설팅 준비	전형별 입시진행 연계교재 완성도 평가

· 수능집중반　정시준비도 전략적으로 준비한다!

기초학습	기본학습	심화학습	핵심요약	문제풀이, 총정리
기초학습과정 습득 학생별 인강 부교재 설정	진단평가 및 개별학습 피드백 수업방향 및 난이도 조절 상담	모의고사 결과진단 및 상담 / EBS 연계 교재 설정 / 학생별 학습성취 사항 평가	자기주도 과정 및 부교재 재설정 학생별 개별지도 방향 점검	전형별 입시진행 연계교재 완성도 평가

HANYANG ACADEMY

D-DAY를 위한 신의 한수

검정고시생 대학진학 입시 전문

검정고시 합격은 기본!
대학진학은 필수!

입시 전문가의 컨설팅으로 성적을 뛰어넘는 결과를 만나보세요!

HANYANG ACADEMY

(YouTube)

모든 수험생이 꿈꾸는
더 완벽한 입시 준비!

입시전략 컨설팅   수시전략 컨설팅   자기소개서 컨설팅

면접 컨설팅   논술 컨설팅   정시전략 컨설팅

입시전략 컨설팅

학생 현재 상태를 파악하고 희망 대학
합격 가능성을 진단해 목표를 달성
할 수 있도록 3중 케어

수시전략 컨설팅

학생 성적에 꼭 맞는 대학 선정으로
합격률 상승! 검정고시 (혹은 모의고사)
성적에 따른 전략적인 지원으로 현실성
있는 최상의 결과 보장

자기소개서 컨설팅

지원동기부터 학과 적합성까지 한번에!
학생만의 스토리를 녹여 강점은
극대화 하고 단점은 보완하는
밀착 첨삭 자기소개서

면접 컨설팅

기초인성면접부터 대학별 기출예상질문
대비와 모의촬영으로 실전면접
완벽하게 대비

대학별 고사 (논술)

최근 5개년 기출문제 분석 및 빈출 주제를
정리하여 인문 논술의 트렌드를 강의!
지문의 정확한 이해와 글의 요약부터
밀착형 첨삭까지 한번에!

정시전략 컨설팅

빅데이터와 전문 컨설턴트의 노하우 /
실제 합격 사례 기반 전문 컨설팅

MK 감자유학

We're Experts

우리는 최상의 유학 컨텐츠를 지속적으로 제공하기 위해 정기 상담자 워크샵, 해외 워크샵, 해외 학교 탐방, 웨비나 미팅, 유학 세미나를 진행합니다.

이를 통해 국가별 가장 빠른 유학트렌드 업데이트, 서로의 전문성을 발전시키며 다양한 고객의 니즈에 가장 적합한 유학솔루션을 제공하기 위해 최선을 다합니다.

Valuable education content provider

KEY STATISTICS

30년⁺
전통교육그룹

17개
국내최다센터

15년
평균상담경력

24개국
해외네트워크

2,600⁺
해외교육기관

Educational

감자유학은 교육전문그룹인 매경아이씨에서 만든 유학부문 브랜드입니다. 국내 교육 컨텐츠 개발 노하우를 통해 최상의 해외 교육 기회를 제공합니다.

The Largest

감자유학은 전국 어디에서도 최상의 해외유학 상담을 제공할 수 있도록 국내 유학 업계 최다 상담 센터를 운영하고 있습니다.

Specialist

전 상담자는 평균 15년이상의 풍부한 유학 컨설팅 노하우를 가진 전문가 입니다. 이를 기반으로 감자유학만의 차별화된 유학 컨설팅 서비스를 제공합니다.

Global Network

미국, 캐나다, 영국, 아일랜드, 호주, 뉴질랜드, 필리핀, 말레이시아 등 감자유학 해외네트워크를 통해 발빠른 현지 정보 업데이트와 안정적인 현지 정착 서비스를 제공합니다.

Oversea Instituitions

고객에게 최상의 유학 솔루션을 제공하기 위해서는 다양하고 세분화된 해외 교육기관의 프로그램이 필수 입니다. 2천개가 넘는 교육기관을 통해 맞춤 유학 서비스를 제공합니다.

2020
대한민국 교육 산업
유학 부문 대상

2012 / 2015
대한민국 대표
우수기업 1위

2014 / 2015
대한민국 서비스
만족대상 1위

OUR SERVICES

현지 관리
안심시스템

엄선된
어학연수교

전세계 1%대학
입학 프로그램

전문가
1:1 컨설팅

All In One
수속 관리

해외
어학연수

English Language Study

해외
인턴십

Internship

해외
대학유학

University Level Study

해외
초중고유학

Early Study abroad

해외
영어캠프

English Camp

24개국 네트워크 미국 | 캐나다 | 영국 | 아일랜드 | 호주 | 뉴질랜드 | 몰타 | 싱가포르 | 필리핀

국내 유학업계 중 최다 센터 운영!

감자유학 전국센터

강남센터	강남역센터	분당서현센터	일산센터	인천송도센터
수원센터	청주센터	대전센터	전주센터	광주센터
대구센터	울산센터	부산서면센터	부산대연센터	
예약상담센터	서울충무로	서울신도림	대구동성로	

문의전화 1588-7923

왕초보 영어탈출 **구구단 잉글리쉬**

ABC 알파벳부터 회화까지~~ 구구단보다 쉬운영어~ ♪ ♬

01 | **구구단잉글리쉬는 왕기초 영어 전문 동영상 사이트 입니다.**
알파벳 부터 소리값 발음의 규칙 부터 시작하는 왕초보 탈출 프로그램입니다.

02 | **지금까지 영어 정복에 실패하신 모든 분들께 드리는 새로운 영어학습법!**
오랜기간 영어공부를 했었지만 영어로 대화 한마디 못하는 현실에 답답함을 느끼는 분들을
위한 획기적인 영어 학습법입니다.

03 | **언제, 어디서나 마음껏 공부할 수 있는 환경을 제공해 드립니다.**
인터넷이 연결된 장소라면 시간 상관없이 24시간 무한반복 수강!
태블릿 PC와 스마트폰으로 필기구 없이도 자유로운 수강이 가능합니다.

체계적인 단계별 학습

파닉스	어순	뉘앙스	회화
· 알파벳과 발음 · 품사별 기초단어	· 어순감각 익히기 · 문법개념 총정리	· 표현별 뉘앙스 · 핵심동사와 전치사로 표현력 향상	· 일상회화&여행회화 · 생생 영어 표현

파닉스		어순		어법
1단 발음트기	2단 단어트기	3단 어순트기	4단 문장트기	5단 문법트기
알파벳 철자와 소릿값을 익히는 발음트기	666개 기초 단어를 품사별로 익히는 단어트기	영어의 기본어순을 이해하는 어순트기	문장확장 원리를 이해하여 긴 문장을 활용하여 문장트기	회화에 필요한 핵심문법 개념정리! 문법트기

뉘앙스		회화	
6단 느낌트기	7단 표현트기	8단 대화트기	9단 수다트기
표현별 어감차이와 사용법을 익히는 느낌트기	핵심동사와 전치사 활용으로 쉽고 풍부하게 표현트기	일상회화 및 여행회화로 대화트기	감 잡을 수 없었던 네이티브들의 생생표현으로 수다트기

왕초보 영어탈출
구구단 잉글리쉬